MW00397998

Le
Livre
de
Poche
Jeunesse

L'été où je suis devenue jolie

Jenny Han

Diplômée de la New School à New York, Jenny Han vit à Brooklyn où elle partage son temps entre l'écriture et un poste de bibliothécaire dans un lycée.

Du même auteur :

- L'été où je t'ai retrouvé - Tome 2
- L'été devant nous - Tome 3

JENNY HAN

L'été où je suis devenue jolie

Traduit de l'anglais (américain)
par Alice Delarbre

Titre original :
The summer I turned pretty
(Première publication : Simon & Schuster Books for Young Readers,
an imprint of Simon & Schuster Children's Publishing Division,
New York, 2009)

À toutes les femmes importantes de ma vie,
et plus particulièrement à Claire.

– Je n'en reviens pas que tu sois là.

D'une voix presque timide il répond :

– Moi non plus.

Puis il hésite avant de poursuivre :

– Tu viens toujours avec moi ?

Comment peut-il poser la question ?

J'irais n'importe où avec lui.

– Oui.

Plus rien n'existe en dehors de ce mot, de cet instant.

Il n'y a que nous. Tous les événements de cet été, et des étés précédents, nous ont menés là. Maintenant.

Chapitre un

15 ans

On roulait depuis environ sept mille ans. En tout cas, c'est l'impression que ça donnait. Mon frère, Steven, conduisait encore plus lentement que Gran. J'étais assise à côté de lui, les pieds posés sur le tableau de bord. Quant à ma mère, on l'avait perdue sur la banquette arrière. Pourtant, même lorsqu'elle dormait, ses sens semblaient en alerte, comme si à chaque instant elle pouvait se réveiller et intervenir dans la conduite.

– Accélère, ai-je pressé Steven, en lui donnant une bourrade dans l'épaule. Double ce gosse à vélo.

Steven s'est dérobé.

– On ne touche jamais le conducteur, m'a-t-il dit. Et enlève tes pieds sales de mon tableau de bord.

J'ai remué mes orteils d'avant en arrière. Ils m'avaient l'air parfaitement propres.

– Ce n'est pas ton tableau de bord. Bientôt, ce sera même ma voiture, tu sais.

– Si tu réussis à avoir ton permis, s'est-il moqué. On ne devrait pas laisser les gens comme toi conduire, de toute façon.

— Eh, regarde ! ai-je lancé en indiquant la route. Ce type en fauteuil roulant vient de nous dépasser !

Steven m'a ignorée et je me suis mise à jouer avec la radio. C'était l'une des choses que je préférais dans nos vacances à la mer. Je connaissais aussi bien les stations ici qu'à la maison et dès que j'entendais Q94 j'avais la sensation d'être arrivée.

J'ai trouvé ma chaîne préférée, qui passait de tout, pop, vieux tubes, hip-hop. Tom Petty était en train de chanter *Free Fallin*. J'ai aussitôt entonné : « *She's a good girl, crazy 'bout Elvis. Loves horses and her boyfriend too*[1]. »

Steven a tendu la main pour changer de station et je l'ai repoussé d'une tape.

— Belly, quand je t'écoute, j'ai envie d'envoyer la voiture au fond de l'océan.

Il a fait semblant de donner un grand coup de volant à droite. J'ai braillé encore plus fort, ce qui a réveillé ma mère, et elle s'est aussitôt jointe à moi. Nous chantions plus faux l'une que l'autre et Steven a secoué la tête avec cet air dégoûté qui lui était propre. Il détestait être en minorité. C'était ce qui l'embêtait le plus avec le divorce de nos parents : se retrouver seul, sans papa pour prendre son parti.

Nous traversions la ville au pas, mais ça m'était égal, même si je venais de taquiner Steven à ce sujet. J'étais heureuse d'être là, dans cette voiture, à cet instant.

1. « C'est une chic fille, dingue d'Elvis. Qui aime les chevaux et son petit ami. » (Toutes les notes sont de la traductrice.)

Revoir la ville, la Baraque à Crabes de Jimmy, le Tchou-Tchou, les boutiques de surf. C'était comme rentrer chez soi après une longue, une très longue absence. Il y avait dans l'air la promesse estivale de millions de possibles. En approchant de la maison, j'ai senti une palpitation familière dans ma poitrine. On y était presque.

J'ai baissé ma vitre pour profiter de tout. Le goût et l'odeur si particuliers de l'air. Le vent, qui rendait mes cheveux collants, et la brise marine salée. Tout était en place. On n'attendait plus que moi.

Steven m'a donné un coup de coude.

– Tu penses à Conrad ? m'a-t-il demandé d'un air narquois.

Pour une fois, la réponse était négative.

– Non, ai-je dit sèchement.

Ma mère a passé la tête entre nos deux sièges.

– Belly, tu as toujours un faible pour Conrad ? Depuis l'été dernier, je pensais plutôt qu'il y avait quelque chose entre Jeremiah et toi.

– QUOI ! Jeremiah et toi ? s'est écrié Steven d'un air dégoûté. Qu'est-ce qui s'est passé entre vous ?

– Rien, leur ai-je répondu.

J'ai senti le rouge me monter au visage et j'ai regretté de ne pas avoir déjà un hâle pour le cacher.

– Maman, ce n'est pas parce que deux personnes s'entendent bien qu'il y a forcément quelque chose entre elles. J'apprécierais qu'on considère le sujet clos.

Ma mère s'est renfoncée dans la banquette.

– D'accord.

Elle l'avait dit sur ce ton définitif qui, je le savais, interdisait à Steven de poursuivre son inquisition. Mais comme c'était Steven, il a quand même insisté.

– Qu'est-ce qui s'est passé entre Jeremiah et toi ? Tu ne peux pas lâcher un truc pareil sans t'expliquer.

– Laisse tomber, lui ai-je répondu.

Tout ce que je racontais à Steven ne servait qu'à lui fournir des armes contre moi. Et il n'y avait rien à raconter, d'ailleurs. Il n'y avait jamais rien eu à raconter.

Conrad et Jeremiah étaient les fils de Beck. Ma mère était la seule à appeler ainsi Susannah Fisher, anciennement Susannah Beck. Elles se connaissaient depuis l'âge de neuf ans – des sœurs de sang, comme elles disaient. Elles en avaient d'ailleurs la preuve : des cicatrices identiques au poignet, en forme de cœur.

Susannah m'avait raconté que dès ma naissance elle avait su que j'étais promise à l'un de ses fils. Elle prétendait que c'était le destin. Ma mère, qui n'était pas du genre à croire au destin, avait conclu que ce serait formidable, tant que j'avais au moins quelques amours avant de me fixer. En fait, elle avait dit « amants », mais ce mot me dégoûte. Susannah avait placé ses mains sur mes joues et avait déclaré : « Belly, tu as ma bénédiction absolue. Je déteste l'idée de laisser mes fils à quelqu'un d'autre. »

Nous passions tous les étés dans la maison de vacances de Susannah, à Cousins Beach, depuis que j'étais bébé, depuis avant ma naissance même. Pour moi, le nom de Cousins évoquait moins la ville que cette maison. Elle était mon univers. Nous avions notre bout de plage rien qu'à nous. Et beaucoup d'autres choses : la véranda circulaire sur laquelle nous avions l'habitude de courir, les pichets de thé glacé, les baignades nocturnes dans la piscine... et les garçons, les garçons surtout.

Je m'étais toujours demandé à quoi ils ressemblaient en décembre. J'avais essayé de les imaginer avec des écharpes rouge cerise et des cols roulés, les joues rosies par le froid, devant un arbre de Noël, mais l'image m'avait toujours paru factice. Je n'avais jamais vu ni Jeremiah ni Conrad en hiver et j'étais jalouse de ceux qui les fréquentaient à cette période de l'année. J'avais les tongs, les coups de soleil sur le nez, les maillots de bain et le sable. Mais les filles de la Nouvelle-Angleterre avaient, elles, les batailles de boules de neige dans la forêt. C'étaient elles qui se blottissaient contre eux en attendant que la voiture se réchauffe, elles à qui ils prêtaient leurs manteaux lorsque l'air fraîchissait. Enfin, Jeremiah peut-être. Pas Conrad. Conrad n'aurait jamais fait une chose pareille ; ce n'était pas son genre. Mais peu importe, ça me paraissait injuste.

Assise contre le radiateur, en cours d'histoire, je songeais à ce qu'ils pouvaient être en train de faire, ils se réchauffaient peut-être aussi les pieds. Je comptais les jours jusqu'au retour de l'été. Comme si l'hiver n'existait pas vraiment. Seul l'été importait. Ma vie entière se mesurait en étés. Je ne commençais réellement à vivre qu'au mois de juin, sur cette plage, dans cette maison.

Conrad était l'aîné, d'un an et demi. Il était ténébreux. Très ténébreux. Totalement inaccessible, indisponible. Sa bouche avait toujours une moue moqueuse et je ne pouvais pas m'empêcher de la regarder. C'était une de ces bouches qu'on a envie d'embrasser, pour la consoler, pour qu'elle se départe de cette moue, ou peut-être pas entièrement... En tout cas, qu'on a envie de dominer. De posséder. C'était exactement ce qui se passait avec Conrad. J'avais envie de le posséder.

Jeremiah, lui... était mon ami. Il était gentil. C'était le genre de garçon qui acceptait encore de serrer sa mère dans ses bras et de lui tenir la main alors qu'il était en théorie trop grand pour ça. Et sans en éprouver aucune gêne. Jeremiah Fisher aimait trop s'amuser pour se laisser embarrasser par quoi que ce soit.

J'aurais parié que Jeremiah avait plus de succès que Conrad au lycée, que les filles le préféraient. J'aurais parié que, sans le football, Conrad serait passé inaperçu. S'il n'avait pas été un dieu du ballon rond, il aurait juste été un type taciturne et lunatique. Cette idée me plaisait. J'aimais que Conrad préfère rester seul à jouer de la guitare. J'aimais qu'il ne soit pas comme les autres garçons de son âge. J'aimais me dire que, si Conrad avait été inscrit dans mon bahut, il aurait participé au journal du lycée au lieu de jouer au foot et qu'il m'aurait remarquée.

Lorsque, enfin, nous nous sommes garés devant la maison, Jeremiah et Conrad étaient assis dans la véranda.

Je me suis penchée au-dessus de Steven pour enfoncer le klaxon deux fois, ce qui dans notre langage estival signifiait : *On a besoin de votre aide pour les valises, illico presto.*

Conrad avait dix-huit ans maintenant. Il venait de les fêter. Il était plus grand que l'été précédent, si surprenant que cela paraisse. Il avait une coupe courte, bien dégagée aux oreilles. Il était toujours aussi brun. Les cheveux de Jeremiah, eux, avaient poussé, ce qui lui donnait un air décontracté – il ressemblait un peu à un joueur de tennis des années 1970. Quand il était plus petit, il avait des boucles blondes, presque platine en été. Il les détestait. Un temps, Conrad l'avait convaincu que la croûte de pain faisait boucler les cheveux : Jeremiah avait laissé de côté le pain des sandwichs, que Conrad récupérait. Puis Jeremiah avait grandi et, maintenant, il avait les cheveux ondulés. Je regrettais ses boucles. À l'époque, Susannah l'appelait « mon petit ange » et il ressemblait vraiment à un ange avec ses joues roses et ses boucles blondes. Il avait gardé ses joues roses, en revanche.

Jeremiah a placé ses mains en porte-voix et crié :

– Steeeeeven !

Depuis la voiture, j'ai regardé mon frère avancer d'un pas tranquille et les serrer dans ses bras à la façon des garçons. L'air sentait le sel et l'humidité, comme si une averse d'eau de mer menaçait. J'ai fait mine de renouer les lacets de mes baskets pour prendre le temps de les observer, eux et la maison. La grande bâtisse gris et blanc ressemblait aux autres maisons du coin, mais en mieux. Elle était parfaitement conforme à l'idée que je me faisais d'une maison de vacances. On s'y sentait chez soi.

Ma mère est sortie à son tour de la voiture.

– Salut, les garçons. Où est votre mère ?

– Salut, Laurel. Elle fait la sieste, lui a répondu Jeremiah.

Habituellement, Susannah jaillissait dans la cour à la seconde où nous arrivions. Ma mère a rejoint les garçons en trois enjambées et les a serrés tous deux, fort. Ses étreintes étaient aussi fermes et vigoureuses que ses poignées de main. Elle a disparu à l'intérieur, ses lunettes de soleil perchées sur le sommet du crâne.

J'ai ouvert la portière et jeté mon sac sur mon épaule. Les garçons n'ont pas tout de suite remarqué ma présence, puis oui. Et pas qu'un peu. Conrad m'a détaillée rapidement de la tête aux pieds, comme les types du centre commercial. Il ne m'avait jamais regardée comme ça. Pas une seule fois. J'ai senti que je rougissais de nouveau, comme dans la voiture. Jeremiah, lui, a eu l'air surpris. Il m'a dévisagée comme s'il ne me reconnaissait pas. Ça n'avait pas duré plus de trois secondes, pourtant, j'ai eu l'impression que c'était beaucoup, beaucoup plus long.

Conrad m'a prise dans ses bras en premier, mais en veillant à ne pas s'approcher trop près. Il venait de se faire couper les cheveux et la peau de sa nuque était rose et tendre, comme celle d'un bébé. Il sentait l'océan. Il sentait Conrad.

– Je te préférais avec des lunettes, m'a-t-il glissé au creux de l'oreille.

J'ai été piquée au vif. Je l'ai repoussé d'une bourrade en rétorquant :

– Dommage, j'ai bien l'intention de garder mes lentilles.

Il m'a souri de son sourire... irrésistible. Ce sourire me faisait le même effet, chaque fois.

– J'ai l'impression qu'elles se sont multipliées, a-t-il dit en me tapotant le nez.

Il savait combien j'étais complexée par mes taches de rousseur et ne manquait jamais de me taquiner à ce sujet.

C'était ensuite au tour de Jeremiah, qui a failli me soulever dans les airs.

– La petite Belly-Bella a sacrément grandi, a-t-il chantonné.

J'ai éclaté de rire.

– Repose-moi ! Tu pues la transpiration !

Jeremiah a ri franchement.

– Ah, tu n'as pas changé ! a-t-il rétorqué, même s'il me considérait d'un air de dire qu'il n'en était pas sûr.

Il a redressé la tête et lancé :

– Il y a quelque chose de différent en toi, Belly.

Je me suis préparée à une mauvaise blague.

– Quoi ? C'est à cause de mes lentilles ?

Je ne m'étais pas encore habituée à ne plus porter de lunettes. Ma meilleure amie, Taylor, tentait de me convaincre de mettre des lentilles depuis la sixième et je venais seulement de l'écouter. Jeremiah m'a souri.

– Ce n'est pas ça. Tu as l'air transformée.

Je suis retournée à la voiture et les garçons m'ont emboîté le pas. Le coffre a été vidé en un instant. J'ai aussitôt empoigné ma valise et mon sac à dos pour filer dans ma chambre. Je dormais dans celle que Susannah occupait quand elle était petite. Il y avait du papier peint à motifs passé et un couvre-lit blanc. Il y avait aussi une boîte à musique que j'adorais. Lorsqu'on l'ouvrait, une ballerine tournoyait sur l'air de *Roméo et Juliette*. J'y rangeais mes bijoux. Tout dans cette pièce était vieux et décoloré, et c'était justement ce qui me plaisait. On aurait dit que les murs, le lit à baldaquin et surtout la boîte à musique recelaient des secrets.

J'avais revu Conrad, j'avais senti son regard sur moi, et maintenant j'avais besoin d'une seconde pour reprendre mon souffle. J'ai saisi l'ours en peluche sur ma commode et je l'ai serré fort contre ma poitrine – il s'appelait Diabolo Menthe, Diabolo pour faire court. Je me suis assise avec lui sur le grand lit. Mon cœur battait si fort que je l'entendais. Rien n'avait changé et pourtant c'était différent. Ils m'avaient regardée comme si j'étais une vraie fille, pas seulement une petite sœur.

Chapitre deux

12 ans

La première fois que j'ai eu le cœur brisé, c'était dans cette maison. J'avais douze ans.

C'était une des rares soirées que les garçons avaient décidé de ne pas passer ensemble – Steven et Jeremiah étaient à une partie de pêche nocturne avec des types qu'ils avaient rencontrés à la galerie marchande. Ça ne tentait pas Conrad et je n'avais évidemment pas été conviée, nous étions donc restés ensemble.

Enfin, pas ensemble, juste sous le même toit.

Je lisais une histoire d'amour dans ma chambre, les pieds posés sur le mur, lorsque Conrad est passé dans le couloir.

– Qu'est-ce que tu fais ce soir, Belly ?

J'ai aussitôt caché la couverture de mon roman.

– Rien, ai-je répondu en m'efforçant de garder une voix égale, où ne pointait ni l'enthousiasme ni l'impatience.

J'avais fait exprès de laisser ma porte ouverte, dans l'espoir qu'il viendrait me trouver.

— Ça te dit de m'accompagner sur la promenade ?

Sa voix était désinvolte, presque trop.

J'attendais ce moment depuis toujours. Il était arrivé. J'étais suffisamment grande, enfin. Une part de moi le savait de toute façon, elle s'y était préparée. J'ai imité sa décontraction :

— Pourquoi pas. Je rêve d'une pomme d'amour.

— Je t'en achèterai une, a-t-il proposé. Dépêche-toi de t'habiller, on y va. Nos mères vont au cinéma ; elles nous déposeront en route.

— D'accord, ai-je lancé en me redressant.

Dès que Conrad a été parti, j'ai refermé la porte de ma chambre et je me suis ruée sur mon miroir. J'ai défait mes tresses et brossé mes cheveux. Ils étaient longs, cet été-là, ils m'arrivaient presque à la taille. J'ai troqué mon maillot de bain contre un short blanc et mon tee-shirt gris préféré. Mon père disait qu'il allait bien avec mes yeux. J'ai appliqué du gloss parfumé à la fraise sur mes lèvres et rangé le tube dans ma poche, pour plus tard. Au cas où j'aurais besoin d'en remettre.

Dans la voiture, Susannah n'a pas arrêté de me sourire dans le rétroviseur. Je lui ai décoché un regard du genre *Chut, s'il te plaît*, alors que je mourais d'envie de lui rendre son sourire. Conrad ne faisait pas attention à nous. Il a gardé les yeux tournés vers la fenêtre pendant le trajet.

— Amusez-vous, les enfants, a dit Susannah en m'adressant un clin d'œil au moment où je refermais ma portière.

Conrad m'a immédiatement acheté ma pomme d'amour. Il n'a pris qu'un soda, alors qu'habituellement il mangeait au moins une ou deux pommes, ou un beignet. Il avait l'air nerveux, ce qui me rendait moins nerveuse du coup.

Nous nous sommes avancés sur les planches de la promenade et j'ai laissé mon bras ballant – au cas où... Mais il ne m'a pas pris la main. C'était une de ces nuits d'été parfaites, la brise était fraîche et il n'y avait pas une goutte de pluie. Il pleuvrait le lendemain, mais ce soir-là il y avait seulement du vent.

– Asseyons-nous pour que je mange ma pomme, ai-je proposé.

Nous avons choisi un banc face à la plage.

J'ai fait attention en mordant dans la pomme ; si je me coinçais du caramel entre les dents, comment pourrait-il m'embrasser ?

Il a siroté son Coca bruyamment, puis il a jeté un coup d'œil à sa montre.

– Quand tu auras fini, on ira au stand de lancer d'anneaux.

Il voulait gagner une peluche pour me l'offrir ! Je savais déjà laquelle je choisirais – l'ours polaire avec les lunettes en fil de fer et l'écharpe. Je lorgnais dessus depuis le début de l'été. Je me suis imaginée en train de le montrer à Taylor. *Oh, ça ? C'est Conrad Fisher qui me l'a offert.*

J'ai englouti le reste de ma pomme en deux bouchées.

– D'acc, ai-je dit en m'essuyant la bouche du revers de la main. Allons-y.

Conrad a filé au stand de jeu, il marchait si vite que j'avais du mal à le suivre. Comme à son habitude, il n'était pas très loquace et je parlais encore plus pour la peine.

– Je pense qu'à la rentrée ma mère acceptera peut-être enfin de prendre le câble. Steven, mon père et moi, on essaie de la convaincre depuis une éternité. Elle prétend qu'elle est contre la télé, alors qu'elle passe son temps à regarder des films. C'est tellement hypocrite...

J'ai laissé la fin de ma phrase en suspens quand j'ai constaté que Conrad ne m'écoutait pas. Il regardait la fille qui tenait le stand.

Elle devait avoir quatorze ou quinze ans. J'ai tout de suite remarqué son short. Il était jaune poussin et très, très court. Exactement le genre qui m'avait attiré les moqueries des garçons deux jours plus tôt. J'étais folle de joie d'avoir acheté ce short avec Susannah et ils avaient gâché mon plaisir. Il lui allait beaucoup mieux qu'à moi.

Ses jambes étaient maigres et constellées de taches de rousseur, comme ses bras. Tout, chez elle, était fin, même ses lèvres. Elle avait de longs cheveux ondulés. Ils étaient roux, mais roux pâle, presque couleur pêche. C'étaient sans doute les plus beaux cheveux que j'avais jamais vus. Elle les avait ramenés sur le côté et ils étaient si longs qu'elle devait les rejeter en arrière dès qu'elle tendait des anneaux aux clients.

Conrad était ici pour elle. Il m'avait emmenée parce qu'il ne voulait pas venir seul et que Steven et Jeremiah se seraient payé sa tête. C'était l'unique raison. Je le voyais à la façon qu'il avait de la regarder, en retenant presque son souffle.

– Tu la connais ? ai-je demandé.

Il a eu l'air surpris, comme s'il se souvenait subitement de ma présence.

– Elle ? Non, pas vraiment...

Je me suis mordu la lèvre.

– Et... tu aimerais ?

– Si j'aimerais quoi ?

Conrad était tellement à côté de ses baskets que c'en était pénible.

– Est-ce que tu aimerais la connaître ? ai-je demandé avec impatience.

– J'imagine.

Je l'ai agrippé par la manche de sa chemise pour le traîner jusqu'à la baraque. La fille nous a fait un sourire et je le lui ai rendu, mais il n'était pas sincère. Je jouais un rôle.

– Combien d'anneaux vous voulez ?

Elle portait des bagues, mais c'était joli sur elle, on aurait dit des bijoux pour les dents plutôt qu'un appareil dentaire.

– Nous en prendrons trois, ai-je répondu. J'aime bien ton short.

– Merci.

Conrad s'est éclairci la gorge.

– Il est chouette.

– Ce n'est pas toi qui le trouvais trop court sur moi, il y a deux jours ?

Je me suis tournée vers la fille avant d'ajouter :

– Conrad est tellement protecteur... Tu as un grand frère ?

– Non, a-t-elle répondu en s'esclaffant, avant de demander à Conrad : Il est trop court ?

Il a rougi. Je ne l'avais jamais vu rougir avant. J'ai eu le sentiment que ça pourrait bien être la première et la dernière fois. J'ai ostensiblement regardé ma montre et lancé :

– Conrad, je vais faire un tour de grande roue avant qu'on rentre. Tu m'offres le lot si tu gagnes ?

Il a hoché la tête, j'ai dit au revoir à la fille et je suis partie. J'ai foncé à la grande roue aussi vite que possible pour qu'ils ne me voient pas pleurer.

Plus tard, j'ai découvert que la fille s'appelait Angie. Conrad a réussi à gagner l'ours polaire avec les lunettes et l'écharpe. Angie lui avait dit que c'était le meilleur lot. Il pensait que ça me ferait plaisir, du coup. Je lui ai rétorqué que j'aurais préféré la girafe, mais que je le remerciais quand même. Je l'ai appelé Diabolo Menthe et, à la fin de l'été, je l'ai laissé dans la maison de vacances, à sa place.

Chapitre trois

15 ans

Après avoir rangé mes affaires, je suis allée à la piscine, où j'étais sûre de trouver les garçons. Ils étaient allongés sur les chaises longues, les pieds, sales évidemment, ballant sur les côtés.

Dès que Jeremiah m'a aperçue, il s'est levé d'un bond.

— Mesdames et messiiiiiieurs, a-t-il entonné d'une voix théâtrale en s'inclinant. Le moment que vous attendiez tant est enfin arrivé... Le premier lancer de Belly de l'été !

J'ai fait un pas de côté maladroit. Un mouvement trop rapide et j'étais fichue — ils se lanceraient aussitôt à mes trousses.

— Hors de question, ai-je dit.

Conrad et Steven se sont levés à leur tour pour venir m'encercler.

— Tu ne peux pas aller contre les traditions, a poursuivi Steven.

Conrad s'est contenté de sourire d'un air diabolique.

— Je suis trop grande pour ça, ai-je lâché désespérée.

J'avais à peine esquissé un pas en arrière qu'ils m'ont attrapée. Steven et Jeremiah serraient chacun un poignet.

– Allez, les gars, ai-je dit en essayant de me dégager de leur emprise.

Je traînais les pieds, mais ils ont réussi à me tirer. J'avais beau savoir qu'il était inutile de résister, je le faisais toujours, même si je me brûlais la plante des pieds sur les dalles de pierre.

– Prête ? a demandé Jeremiah en me soulevant par les aisselles.

Conrad m'a pris les chevilles, puis Steven s'est saisi de mon bras droit, laissant le gauche à Jeremiah. Ils m'ont balancée comme un sac de farine.

– Je vous hais, ai-je hurlé pour couvrir leurs rires.

– Un... a commencé Jeremiah.

– Deux... a poursuivi Steven.

– Et trois ! a conclu Conrad.

Ils m'ont jetée dans la piscine, tout habillée bien sûr. J'ai fendu la surface dans un énorme splash. Sous l'eau, je les ai entendus se battre.

Le lancer de Belly avait dû commencer un million d'étés plus tôt. Sans doute à l'initiative de Steven. Je détestais ça. C'était l'une des rares occasions où j'étais associée à leurs délires, mais j'avais horreur d'en faire les frais. Je me sentais impuissante, ça me rappelait que j'étais différente, trop faible pour rivaliser avec eux, tout simplement parce que j'étais une fille. Une petite sœur.

Les autres années, je me mettais à pleurer et je courais trouver Susannah et ma mère. Ce qui ne servait à rien : les garçons m'accusaient d'être une rapporteuse. Mais pas cette fois. Cette fois, je serais bonne joueuse. Si je réagissais avec fair-play, ça gâcherait peut-être un peu leur joie.

Je suis remontée en souriant à la surface.

— Vous avez dix ans, les gars.

— À vie, a répondu Steven avec son air suffisant.

Je crevais d'envie de l'éclabousser et de l'entraîner dans l'eau avec sa précieuse paire de lunettes de soleil Hugo Boss — il avait travaillé trois semaines pour se la payer.

— Je crois que tu m'as tordu la cheville, Conrad, ai-je ajouté.

J'ai fait semblant d'avoir du mal à nager jusqu'à eux. Il s'est avancé près du rebord de la piscine.

— Je suis sûr que tu survivras, a-t-il rétorqué avec un sourire narquois.

— Aide-moi, au moins.

Il s'est accroupi pour me tendre la main.

— Merci, ai-je dit d'une petite voix.

Je me suis agrippée à son bras, puis j'ai tiré de toutes mes forces. Il a vacillé, est tombé en avant et a atterri dans la piscine en faisant encore plus de bruit que moi. Je crois que je n'avais jamais autant ri de ma vie. Jeremiah et Steven aussi. Peut-être même que tout Cousins Beach nous a entendus.

La tête de Conrad a rapidement resurgi à la surface, et il m'a rejointe en deux brasses. J'avais peur qu'il soit furax, mais ce n'était pas le cas, du moins pas entièrement. Il souriait d'un air menaçant. Je me suis dérobée.

– Tu ne m'attraperas pas ! ai-je lancé avec malice. T'es trop lent !

Chaque fois qu'il approchait, je m'éloignais. Comme dans le jeu, j'ai ajouté en gloussant :

– Marco !

– Polo ! ont répondu Jeremiah et Steven, qui se dirigeaient vers la maison.

Ils m'ont fait rire, ce qui m'a ralentie, et Conrad m'a attrapé le pied.

– Lâche-moi ! ai-je dit, hors d'haleine parce que je rigolais toujours.

– Je croyais que j'étais trop lent, a rétorqué Conrad en secouant la tête et en se rapprochant.

Nous étions dans la partie la plus profonde de la piscine. À travers son tee-shirt blanc trempé, j'apercevais sa peau dorée.

Un silence étrange s'est soudain installé entre nous. Il me tenait toujours le pied et je m'efforçais de surnager. L'espace d'une seconde, j'ai regretté que Jeremiah et Steven soient partis. J'ignore pourquoi.

– Lâche-moi, ai-je répété.

Il a tiré sur mon pied, m'attirant vers lui. Sa proximité me rendait nerveuse. J'ai insisté, une dernière fois, même si je ne le pensais pas :

– Conrad, lâche-moi.

Il a obéi. Puis il m'a enfoncé la tête sous l'eau. Mais ça m'était égal : je retenais déjà ma respiration.

Chapitre quatre

15 ans

On venait d'enfiler des vêtements secs lorsque Susannah est descendue en s'excusant de n'avoir pas été là pour nous accueillir. Le sommeil se lisait encore sur ses traits et ses cheveux étaient ébouriffés d'un côté, comme ceux d'un enfant. Elle a d'abord serré ma mère dans ses bras, longtemps, intensément. Ma mère était si contente de la voir qu'elle en avait les larmes aux yeux – et elle n'est pourtant pas du genre à s'attendrir.

Puis mon tour est venu. Susannah m'a attirée contre elle, en une de ses étreintes si profondes qu'on ignore combien de temps elle durera et qui la brisera en premier.

– Tu as minci, lui ai-je dit, en partie parce que c'était vrai et en partie parce que je savais que ça lui ferait plaisir.

Elle suivait toujours un régime, surveillait en permanence ce qu'elle mangeait. À mes yeux, elle était parfaite.

– Merci, trésor.

Elle a fini par me libérer, mais, avant de me lâcher complètement, elle m'a tenue à bout de bras, pour m'observer.

– Quand as-tu grandi ? a-t-elle demandé. Quand es-tu devenue cette jeune femme incroyable ?

Je lui ai souri d'un air gêné, contente que les garçons ne soient pas là.

– Je n'ai pas vraiment changé.

– Tu as toujours été ravissante, mais, trésor, regarde-toi ! a-t-elle dit en secouant la tête comme si elle n'en revenait pas. Tu es si jolie. Si jolie... Tu vas passer un été incroyable. Un été que tu n'oublieras jamais.

Susannah faisait régulièrement de grandes déclarations, qui ressemblaient à des proclamations, comme s'il suffisait qu'elle professe une chose pour qu'elle se réalise.

Elle avait raison, cette fois. C'était un été que je n'oublierais jamais, jamais. L'été où tout a commencé. L'été où je suis devenue jolie. Pour la première fois, je l'ai senti. Enfin, plutôt, je me suis sentie jolie. Les années précédentes, j'avais toujours cru que chaque été serait différent, que la vie serait différente. Et les choses avaient enfin changé. J'avais changé.

Chapitre cinq

15 ans

Le dîner du premier soir consistait toujours en une énorme soupe de poisson épicée, que Susannah avait préparée en attendant notre arrivée. Il y avait des tas de crevettes, de pinces de crabes et de calamars – elle savait que j'adorais ça. Petite, déjà, je mettais les calamars de côté pour la fin. Susannah plaçait la marmite au centre de la table, avec plusieurs baguettes de pain croustillantes de la boulangerie française du coin. Nous avions chacun notre bol et nous nous resservions au cours du repas en plongeant la louche au fond de la cocotte. Habituellement, Susannah et ma mère buvaient du vin rouge et les enfants du Fanta, mais, ce soir-là, il y avait des verres à vin pour tout le monde.

– Je crois que nous sommes tous assez grands pour boire, qu'en dis-tu, Laurie ? a demandé Susannah au moment où nous passions à table.

– Je ne sais pas... a commencé ma mère avant de s'interrompre. Oh, très bien, très bien. Je fais ma vieille schnock, pas vrai, Beck ?

Susannah, qui débouchait la bouteille, a éclaté de rire.

– Toi ? Jamais, a-t-elle répondu en nous servant. C'est une soirée spéciale. La première de l'été.

Conrad a vidé son verre en deux gorgées. Comme s'il était habitué à boire du vin. Beaucoup de choses peuvent se produire en une année, j'imagine.

– Ce n'est pas la première soirée de l'été, maman.

– Bien sûr que si. L'été ne commence pas avant l'arrivée de nos amis, a dit Susannah en tendant les mains à travers la table pour toucher mon bras et celui de Conrad.

Il l'a aussitôt retiré, comme par réflexe. Susannah n'a pas semblé y prêter attention, alors que moi, oui. J'ai toujours prêté attention à Conrad.

Jeremiah avait dû remarquer son geste, aussi, parce qu'il a changé de sujet.

– Belly, tu veux voir ma dernière cicatrice ? a-t-il demandé en relevant sa chemise. J'ai marqué trois buts, ce soir-là.

Il était toujours fier de ses blessures de guerre obtenues sur le terrain de foot.

Je me suis penchée vers lui pour examiner la cicatrice. Elle lui barrait le bas du ventre, dans le sens de la longueur, et commençait à peine à s'estomper. Il avait dû faire beaucoup de sport. Son ventre était plat, musclé, ce qui n'était pas le cas l'été précédent. Il semblait même plus grand que Conrad maintenant.

– Waouh ! ai-je dit.

Conrad a ricané.

— Jer' veut seulement te montrer ses tablettes de chocolat, a-t-il dit en rompant un morceau de pain et en le plongeant dans son bol. Pourquoi tu n'en fais pas profiter tout le monde ?

— Ouais, montre-nous, Jer', a ajouté Steven d'un air moqueur.

Jeremiah leur a rendu leur sourire. Puis il a dit à Conrad :

— Tu es jaloux parce que tu as arrêté.

Conrad avait arrêté le football ? Première nouvelle.

— Conrad, tu as quitté l'équipe, mon pote ? a demandé Steven.

Apparemment, il n'était pas plus au courant que moi. Conrad était doué, pourtant ; Susannah nous envoyait les articles de journaux qui lui étaient consacrés. Jeremiah et lui jouaient dans la même équipe depuis deux ans, mais c'était sur Conrad que les projecteurs étaient braqués.

Il a haussé les épaules avec indifférence. La baignade forcée lui avait laissé les cheveux mouillés, comme moi.

— On ne s'amusait plus.

— Ce qu'il veut dire, est intervenu Jeremiah, c'est qu'il ne s'amusait plus.

Puis il s'est levé et a remonté sa chemise.

— Joli, non ?

Susannah a rejeté la tête en arrière et s'est mise à rire, aussitôt imitée par ma mère.

— Assieds-toi, Jeremiah, a-t-elle dit en agitant une baguette de pain dans sa direction à la façon d'une épée.

— Qu'est-ce que tu en penses, Belly ? m'a-t-il demandé en tournant ses yeux rieurs vers moi.

— Plutôt réussi, ai-je convenu en retenant un sourire.

— Maintenant c'est au tour de Belly de nous faire une démonstration, s'est moqué Conrad.

— Inutile. Elle n'a pas besoin d'en rajouter, au premier coup d'œil on voit à quel point elle est jolie, a dit Susannah en avalant une gorgée de vin avant de me sourire.

— Jolie ? C'est ça, a répliqué Steven. Jolie emmerdeuse, surtout.

— Steven... l'a averti ma mère.

— Quoi ? Qu'est-ce que j'ai dit ?

— Steven n'a pas la finesse nécessaire pour comprendre ce concept, ai-je rétorqué doucement avant de pousser une baguette vers lui. Rrrr, rrrr, Steven, mon petit cochon, prends un peu de pain.

— Je ne vais pas me gêner, a-t-il répondu en se servant.

— Belly, parle-nous de tes copines canon avec lesquelles tu vas nous arranger un coup, a repris Jeremiah.

— Est-ce qu'on n'a pas déjà tenté l'expérience ? Ne me dis pas que tu as oublié Taylor Jewel !

Tout le monde s'est esclaffé, même Conrad.

Les joues de Jeremiah ont rosi, pourtant il riait aussi.

— Tu n'es pas gentille, Belly, a-t-il dit en secouant la tête. Il y a plein de filles mignonnes au country-club, ne te fais pas de souci pour moi. C'est Rad qui a besoin de ton aide.

Jeremiah et Conrad auraient dû travailler tous les deux comme maîtres nageurs au country-club. Conrad occupait déjà ce poste l'été dernier. Jeremiah avait enfin l'âge de postuler, cette année, mais Conrad avait changé d'avis à la dernière minute et préféré être embauché comme serveur dans un restaurant de fruits de mer.

On allait sans arrêt dans ce restaurant avant. Jusqu'à douze ans, les enfants pouvaient manger pour vingt dollars. À une époque, j'étais la seule à entrer encore dans cette catégorie. Ma mère précisait toujours à plusieurs reprises au serveur que j'avais moins de douze ans. Elle en faisait un principe. Chaque fois, j'avais envie de disparaître, de devenir invisible. Les garçons n'en profitaient pas pour autant – alors que c'était une occasion en or –, mais je détestais être différente, être distinguée. Je détestais qu'on me montre du doigt, quand je rêvais seulement d'être comme eux.

Chapitre six

10 ans

Du jour au lendemain, les garçons ont décidé de former une bande. Conrad en était le chef. Sa parole avait quasiment valeur de loi. Steven était son bras droit et Jeremiah son bouffon. Le premier jour, Conrad a décrété qu'ils dormiraient sur la plage dans des sacs de couchage et qu'ils feraient un feu. Il était boy-scout ; il connaissait tous les trucs.

Je les ai regardés s'organiser, consumée par la jalousie. Surtout lorsqu'ils ont pris des biscuits et des guimauves. Ne prenez pas la boîte entière, aurais-je voulu dire. Mais je ne l'ai pas fait – je n'en avais aucun droit, je n'étais même pas chez moi.

– Steven, tu es responsable de la lampe torche, a ordonné Conrad.

Mon frère a aussitôt acquiescé. Je ne l'avais jamais vu obéir à un ordre auparavant. Il admirait Conrad, qui avait huit mois de plus que lui ; il en avait toujours été ainsi. Tout le monde avait quelqu'un, sauf moi. Si seulement j'avais été à la maison, j'aurais pu préparer des sundaes au caramel avec mon père avant de les manger, par terre, dans le salon.

– Jeremiah, n'oublie pas le paquet de cartes, a ajouté Conrad en roulant un sac de couchage.

Son frère a imité un salut militaire, avant de se lancer dans une petite danse qui m'a fait glousser.

– Oui, chef !

Il s'est tourné vers moi pour ajouter :

– Conrad adore commander, comme notre père. Tu n'es pas forcée de l'écouter.

Comme Jeremiah m'avait adressé la parole, j'ai trouvé le courage de demander :

– Est-ce que je peux venir aussi ?

– Non. C'est réservé aux garçons, a aussitôt répondu Steven. Pas vrai, Rad ?

Conrad a hésité.

– Désolé, Belly, a-t-il fini par dire.

Il a eu l'air sincèrement embêté l'espace d'une seconde. De deux secondes, même. Puis il s'est remis à rouler son sac de couchage. Je me suis détournée pour fixer la télé.

– C'est bon. Ça ne me tentait pas vraiment en fait.

– Oh, regardez, Belly va pleurer, s'est exclamé Steven, l'air réjoui. Quand elle n'obtient pas ce qu'elle veut, elle chiale, a-t-il ajouté à l'intention de Jeremiah et de Conrad. Notre père se fait toujours avoir.

– La ferme, Steven ! ai-je hurlé.

Je craignais de me mettre à sangloter pour de bon. La pire chose qui pouvait m'arriver était de passer pour un bébé la première nuit de nos vacances. C'était le plus sûr moyen de ne jamais être associée à aucun de leurs jeux.

— Belly va pleurer ! a chantonné Steven, avant d'entraîner Jeremiah dans une danse moqueuse.

— Laissez-la tranquille, a dit Conrad.

Steven s'est arrêté.

— Quoi ? a-t-il lâché, sans comprendre.

— Vous êtes vraiment immatures, les gars, a-t-il répondu en secouant la tête.

Je les ai regardés rassembler leur matériel et se préparer à partir. J'allais perdre toute chance de les accompagner, de faire partie de leur bande, alors je me suis empressée de dire :

— Steven, si tu ne me laisses pas venir, je le répéterai à maman.

Une expression de contrariété a traversé son visage, puis il a rétorqué :

— Non, tu ne le feras pas. Maman déteste quand tu caftes.

Il avait raison, ma mère n'aimait pas que je dénonce Steven pour ce genre de choses. Elle me répondrait qu'il avait besoin de passer du temps avec ses copains, que je pourrais les accompagner la prochaine fois, que je m'amuserais davantage à la maison avec Beck et elle, de toute façon. Je me suis enfoncée dans le canapé, les bras croisés sur la poitrine. J'avais gâché ma chance. Maintenant, je ressemblais vraiment à une cafteuse, un bébé.

En se dirigeant vers la porte, Jeremiah s'est retourné pour esquisser quelques pas de danse et je n'ai pas pu m'en empêcher, j'ai ri. Par-dessus son épaule, Conrad a lancé :

— Bonne nuit, Belly.

Et voilà. J'étais amoureuse.

Chapitre sept

15 ans

Je n'ai pas immédiatement compris qu'ils avaient plus d'argent que nous. La maison sur la plage n'était pas du genre tape-à-l'œil. Une résidence secondaire honnête, accueillante et confortable. Des divans en vieux coton gaufré décoloré, un fauteuil relax qui grinçait et pour lequel nous nous battions toujours, avec les garçons, de la peinture blanche écaillée et un plancher décoloré par le soleil.

Mais c'était une grande maison, avec assez de chambres pour chacun d'entre nous, et davantage encore. Ils avaient fait construire une extension quelques années auparavant. D'un côté se trouvaient la chambre de ma mère, celle de Susannah et M. Fisher, et une troisième pour les invités, qui restait vide. De l'autre côté, il y avait une chambre d'invités, la mienne et celle que les garçons partageaient, ce qui me rendait jalouse. Ils avaient des lits superposés et deux lits jumeaux, et je détestais rester seule alors que je pouvais les entendre ricaner et chuchoter toute la nuit à travers les murs. Une ou deux fois, chaque été, ils me laissaient dormir avec eux, mais ce n'était que parce qu'ils avaient une histoire particulièrement horrible à raconter. J'étais bon public : je hurlais systématiquement au moment adéquat.

Depuis que nous étions plus grands, les garçons ne partageaient plus cette chambre. Steven dormait du côté des parents et les deux frères avaient chacun la leur, à côté de la mienne. Nous utilisions la même salle de bains, dans notre aile de la maison – ma mère avait la sienne, quant à celle de Susannah, elle se trouvait dans sa chambre. Il y avait deux lavabos, un pour Jeremiah et Conrad, un autre pour Steven et moi.

Lorsque nous étions petits, les garçons ne rabattaient jamais la lunette des toilettes. Ils n'avaient pas perdu cette mauvaise habitude. Elle me rappelait en permanence que je n'étais pas l'une des leurs. Certaines petites choses avaient changé, malgré tout. La pièce ressemblait à une pataugeoire après leur passage – que ce soit à cause d'une bataille d'eau ou par simple négligence. Mais maintenant qu'ils se rasaient, ils laissaient aussi des poils dans le lavabo. La tablette était encombrée par leurs déodorants, leurs crèmes de rasage et leurs eaux de Cologne.

Ils avaient plus de parfums que moi – je ne possédais qu'un flacon rose d'eau de toilette française que mon père m'avait offerte à Noël, l'année de mes treize ans. Elle sentait la vanille, le sucre caramélisé et le citron. Je crois que c'était l'étudiante avec laquelle il sortait à l'époque qui l'avait choisie. Il n'était pas doué pour ce genre de choses. Je ne laissais pas mon flacon dans la salle de bains, au milieu de tout leur bazar. Il restait sur la coiffeuse, dans ma chambre ; je ne mettais jamais de parfum de toute façon. Je ne sais même pas pourquoi je l'emportais en vacances.

Chapitre huit

15 ans

Après le dîner, je suis restée dans le salon. Conrad aussi. Il s'est assis en face de moi pour accorder sa guitare, la tête courbée.

– J'ai entendu dire que tu avais une copine, ai-je lancé. Il paraît que c'est sérieux.

– Mon frère est une vraie pipelette.

Un mois environ avant nos vacances à Cousins, Jeremiah avait appelé Steven. Ils étaient restés un bon moment au téléphone et je m'étais planquée à côté de la porte pour écouter. Steven ne disait pas grand-chose, mais la conversation avait l'air sérieuse. J'avais déboulé dans la chambre de mon frère en lui demandant de quoi ils parlaient, Steven m'avait accusée d'être une vilaine petite curieuse, puis il m'avait confié que Conrad avait une copine.

– Alors, comment est-elle ?

J'ai posé la question sans regarder Conrad. J'avais peur qu'il se rende compte à quel point ça me touchait.

Il s'est éclairci la gorge.

– On a rompu.

Ma mâchoire a failli se décrocher. Mon cœur s'est légèrement emballé.

– Ta mère a raison, tu es un bourreau des cœurs.

Je voulais blaguer, mais mes mots ont résonné comme une affirmation.

Il a tressailli avant de lâcher sèchement :

– Elle m'a largué.

J'étais incapable d'imaginer qu'on pouvait se séparer de Conrad. Je me suis demandé à quoi elle ressemblait. Une fille irrésistible a soudain surgi dans mon esprit.

– Comment elle s'appelait ?

– Qu'est-ce que ça peut faire ?... Aubrey, a-t-il fini par ajouter, elle s'appelle Aubrey.

– Pourquoi a-t-elle rompu avec toi ?

Je ne pouvais pas m'en empêcher. La curiosité me dévorait. Qui était cette fille ? Je l'imaginais avec des cheveux blond clair, des yeux turquoise et des ongles parfaits, ovales. À cause du piano, j'avais toujours dû porter les miens courts et j'avais gardé cette habitude même après avoir arrêté.

Conrad a reposé sa guitare et, le regard perdu dans le vide, l'air renfrogné, il a répondu :

– Elle a dit que j'avais changé.

– C'est le cas ?

– Aucune idée. Tout le monde change. Tu as changé.

– En quoi ?

Il a haussé les épaules en reprenant sa guitare.

– Je te l'ai dit, tout le monde change.

Conrad s'était mis à la guitare à l'école primaire. Je détestais quand il en jouait. Il restait assis, à l'accorder, sans vraiment prêter attention aux autres, sans vraiment être là. Il fredonnait pour lui-même, il était ailleurs. On regardait la télé, ou on faisait une partie de cartes, et lui, il accordait sa guitare. Ou il s'exerçait dans sa chambre. Dans quel but, je l'ignorais. Ce que je savais, c'était que ça nous privait de sa présence.

– Écoute, avait-il dit un jour en me tendant un de ses écouteurs.

J'avais dû me rapprocher au point que nos têtes se touchaient.

– Ce truc est dément, non ?

Ce « truc », c'était Pearl Jam. Conrad était aussi heureux et excité que s'il les avait découverts lui-même. Je n'avais jamais entendu parler d'eux avant, mais, à ce moment-là, j'avais trouvé que c'était la meilleure chanson de la Terre. J'étais allée acheter *Ten* et j'avais écouté l'album en boucle. Dès que j'entendais la piste cinq, *Black*, j'avais l'impression de revivre ce moment.

À la fin de l'été, de retour à la maison, je m'étais procuré la partition et j'avais appris à la jouer au piano. Je pensais qu'un jour je pourrais accompagner Conrad et que nous formerions une sorte de groupe. Ce qui était complètement idiot, il n'y avait même pas de piano dans la maison de vacances. Susannah avait voulu en acheter un, pour que je puisse travailler pendant l'été, mais ma mère avait refusé.

Chapitre neuf

15 ans

La nuit, quand je ne trouvais pas le sommeil, je descendais sans bruit à la piscine. J'enchaînais les longueurs jusqu'à me sentir fatiguée. Puis je retournais au lit, avec cette sensation agréable de tiraillement et de détente en même temps. Après un bain, j'adorais m'envelopper dans l'un des draps de bain bleu barbeau de Susannah – je n'avais jamais entendu parler de drap de bain avant de venir chez elle. Puis je remontais sur la pointe des pieds et je m'endormais les cheveux mouillés. On dort d'un sommeil si paisible après avoir nagé... Je ne connais pas de sensation comparable.

Deux étés plus tôt j'étais tombée sur Susannah, un soir, et depuis elle venait parfois nager avec moi. J'étais sous l'eau et je percevais sa présence à l'autre bout de la piscine. On faisait des longueurs sans se parler ; sa simple proximité était réconfortante. C'étaient les seules occasions où je la voyais sans perruque.

À l'époque, à cause de la chimio, Susannah en portait une en permanence. Personne ne l'avait vue sans, même ma mère. Susannah avait les plus beaux cheveux du monde. Longs, couleur caramel, aussi doux que de la barbe à papa. Sa perruque ne soutenait pas la comparaison et pourtant c'était ce qu'il y avait de mieux sur le marché. Après la chimio, lorsque ses cheveux avaient repoussé, elle s'était mise à les porter courts, sous le menton. C'était joli, mais ce n'était plus pareil. En la regardant aujourd'hui, on n'aurait jamais pu imaginer à quel point elle était différente avant, avec ses longs cheveux d'adolescente, comme les miens.

La première nuit de cet été-là, je n'ai pas réussi à trouver le sommeil. Il me fallait un ou deux jours pour me réhabituer à mon lit, même si j'y avais dormi presque tous les étés de ma vie. Je me suis tournée et retournée jusqu'à ce que je ne tienne plus. J'ai enfilé mon vieux maillot une-pièce de l'équipe de natation qui était un peu petit à présent, avec les bretelles dorées et le dos nageur. C'était mon premier bain nocturne.

Lorsque je nageais seule, la nuit, mes idées s'éclaircissaient. Le bruit de ma propre respiration m'apaisait, tout en me donnant l'impression d'être posée et forte. De pouvoir nager éternellement.

J'ai enchaîné plusieurs longueurs ; au bout de la quatrième, comme je m'apprêtais à pivoter, j'ai heurté quelque chose. En remontant à la surface, j'ai vu que c'était la jambe de Conrad. Il était assis au bord de la piscine, les pieds dans l'eau.

Il m'avait observée tout ce temps. En fumant une cigarette.

Je n'ai pas bougé, dans l'eau jusqu'au menton, soudain consciente que mon maillot de bain était réellement trop petit pour moi maintenant. Il était hors de question que je sorte devant lui.

— Depuis quand est-ce que tu fumes ? lui ai-je demandé d'un ton accusateur. Et qu'est-ce que tu fiches là, d'abord ?

— À quelle question veux-tu que je réponde en premier ?

Il avait cette expression amusée et légèrement condescendante, celle qui me rendait dingue. J'ai nagé jusqu'au rebord pour prendre appui dessus.

— La deuxième.

— Je n'arrivais pas à dormir, alors je suis sorti faire un tour.

Il mentait. Il était sorti pour fumer.

— Comment tu as su que j'étais là ?

— Tu viens toujours ici la nuit, Belly. Ce n'est pas nouveau...

Il a tiré sur sa cigarette.

Il savait que je me baignais la nuit ? J'avais toujours cru que c'était mon secret, notre secret, à Susannah et moi. Je me suis demandé depuis combien de temps il était au courant. Je me suis demandé si tout le monde était au courant. J'ignorais pourquoi ça avait autant d'importance, mais ça en avait. Pour moi, en tout cas.

— D'accord, très bien. Alors depuis quand est-ce que tu fumes ?

— Aucune idée. Un an, peut-être.

Il faisait exprès de rester vague. C'était horripilant.

— Eh bien, tu ne devrais pas. Tu devrais même arrêter tout de suite. Tu es accro ?

— Non, a-t-il dit en riant.

— Alors arrête. Je sais que tu en es capable, il suffit que tu le décides.

Je savais qu'il était capable de n'importe quoi, s'il le décidait.

— Peut-être que je n'en ai pas envie.

— Tu devrais, Conrad. C'est mauvais pour toi.

— Tu me donneras quoi en échange ? m'a-t-il taquinée.

Il tenait sa cigarette en l'air, juste au-dessus de sa canette de bière.

L'atmosphère s'est modifiée tout à coup. Elle était chargée d'électricité, comme si un éclair menaçait de me frapper. J'ai lâché le mur et je me suis éloignée de lui dans l'eau. J'ai eu l'impression que j'avais laissé passer une éternité avant de répondre :

— Rien. Tu devrais le faire pour toi.

— Tu as raison, a-t-il dit.

Et la tension s'est dissipée. Il s'est levé et a écrasé sa cigarette sur le dessus de la canette.

— Bonne nuit, Belly. Ne traîne pas trop ici. On ne sait jamais quels monstres sortent la nuit.

Tout était redevenu normal. J'ai voulu lui éclabousser les jambes, mais il s'éloignait déjà.

— Va te faire voir ! ai-je dit à son dos.

Il y a longtemps, Conrad, Jeremiah et Steven m'avaient convaincue qu'un tueur d'enfants courait dans la nature, de ceux qui aimaient les petites filles joufflues, aux cheveux châtains et aux yeux bleu ardoise.

– Attends ! Tu vas arrêter ou pas ? ai-je crié.

Il ne m'a pas répondu. Mais il riait. Je le voyais au mouvement de ses épaules.

Après son départ, j'ai fait la planche. Les battements de mon cœur résonnaient dans mes oreilles. *Tic tic tic*, comme le balancier d'un métronome. Conrad était différent. Je l'avais perçu pendant le dîner, avant qu'il ne me parle d'Aubrey. Il avait changé. Et pourtant, il me faisait toujours le même effet. J'avais encore l'impression d'être au sommet des montagnes russes de Kings Dominion, juste avant la première descente.

Chapitre dix

15 ans

— Belly, as-tu appelé ton père ? m'a demandé ma mère.

— Non.

— Tu devrais lui donner de tes nouvelles.

J'ai levé les yeux au ciel.

— Ça m'étonnerait qu'il soit assis à côté du téléphone à se ronger les sangs.

— N'empêche.

— Est-ce que tu as demandé à Steven de l'appeler ? ai-je riposté.

— Non, a-t-elle rétorqué d'une voix égale. Ton père et Steven vont bientôt passer quinze jours ensemble pour faire le tour des universités. Alors que toi, tu ne le verras pas avant la fin de l'été.

Pourquoi fallait-il qu'elle soit aussi raisonnable ? C'était toujours comme ça avec elle. Ma mère était la seule personne que je connaissais qui avait eu un divorce raisonnable.

Elle s'est levée pour me tendre le combiné.

— Appelle ton père, a-t-elle dit en quittant la pièce.

Elle me laissait systématiquement seule quand je téléphonais à mon père, par respect pour notre intimité. Comme si j'avais des secrets que je ne pouvais pas raconter devant elle.

Je ne l'ai pas appelé. J'ai reposé le combiné sur son socle. C'était à lui de me téléphoner ; pas le contraire. C'était lui, l'adulte, moi, j'étais l'enfant. Et, de toute façon, les papas n'avaient pas leur place dans la maison de vacances. Ni le mien, ni M. Fisher. Bien sûr, ils venaient nous rendre visite, mais ce n'était pas leur monde. Ils n'y étaient pas à leur place. C'était un monde réservé aux mamans et aux enfants.

Chapitre onze

9 ans

On jouait aux cartes sur la véranda ; ma mère et Susannah sirotaient des margaritas en faisant une partie de leur côté. Le soleil commençait à décliner et bientôt elles rentreraient pour préparer du maïs et des hot-dogs. Mais pas tout de suite. D'abord, elles finissaient leur partie.

— Laurel, pourquoi appelles-tu maman Beck alors que tout le monde dit Susannah ? a demandé Jeremiah.

Il faisait équipe avec mon frère Steven et ils perdaient. Les jeux de cartes ennuyaient Jeremiah ; il cherchait toujours une occupation plus intéressante, un sujet de conversation plus passionnant.

— Parce que son nom de jeune fille est Beck, a expliqué ma mère en roulant une cigarette.

Elles ne fumaient que lorsqu'elles étaient ensemble, ce qui en faisait quelque chose d'exceptionnel. Ma mère disait que ça lui donnait l'impression de rajeunir. Je lui rétorquais que ça raccourcissait son espérance de vie de plusieurs années, mais elle balayait mes inquiétudes d'un revers de la main en me traitant de Cassandre.

– Qu'est-ce qu'un nom de jeune fille ? a poursuivi Jeremiah.

Mon frère a tapé sur son jeu pour attirer son attention, mais Jeremiah l'a ignoré.

– C'est le nom que porte une fille avant d'être mariée, andouille, a dit Conrad.

– Ne le traite pas d'andouille, a rétorqué Susannah du tac au tac tout en triant son jeu.

– Mais pourquoi sont-elles obligées de changer de nom ? a poursuivi Jeremiah.

– Personne ne les y oblige. Moi, je n'ai pas changé. Je m'appelle Laurel Dunne depuis ma naissance. Classe, hein ?

Ma mère se sentait supérieure à Susannah parce qu'elle avait gardé son nom.

– Après tout, a-t-elle poursuivi, pourquoi une femme devrait-elle abandonner son nom pour un homme ?

– Laurel, tais-toi s'il te plaît, a dit Susannah en posant ses cartes sur la table. Gin !

Ma mère a soupiré avant d'étaler son jeu à son tour.

– Je n'ai plus envie de jouer au gin-rami. Faisons autre chose... une partie de sept familles avec eux ?

– Mauvaise perdante, a dit Susannah.

– On ne joue pas aux sept familles, maman, mais à la dame de pique. Et tu ne peux pas jouer parce que tu triches toujours, ai-je dit.

Conrad était mon partenaire et nous étions presque sûrs de remporter la partie. Je l'avais choisi exprès. C'était un gagnant. C'était le nageur le plus rapide, le meilleur au bodyboard et il était toujours, toujours vainqueur aux cartes.

Susannah a applaudi en éclatant de rire.

– Laurie, cette fille est ton portrait craché !

– Non, Belly est la fille de son père, a répondu ma mère.

Elles ont échangé un regard chargé de sous-entendus et j'ai brûlé de demander : « Quoi ? quoi ? », mais je savais que ma mère ne lâcherait jamais le morceau. Elle savait garder un secret, elle avait toujours su. Et c'était vrai que je ressemblais à mon père : j'avais ses yeux qui remontaient aux extrémités, son nez (en version petite fille) et son menton légèrement en galoche. Je n'avais hérité de ma mère que ses mains.

Leur complicité s'est dissipée et Susannah m'a souri.

– Tu as parfaitement raison, Belly. Ta mère est une tricheuse. Surtout à la dame de pique. Les tricheurs ne s'en sortent jamais, les enfants.

Susannah nous appelait toujours les enfants, mais, à dire vrai, ça ne me dérangeait pas. De la part de n'importe qui d'autre, ça m'aurait énervée. Mais elle prononçait ce mot d'une façon qui ne lui conférait pas une connotation négative, qui ne nous donnait pas l'impression d'être des bébés. Au contraire même. Dans sa bouche, ce mot semblait rappeler que nous avions la vie devant nous.

Chapitre douze

15 ans

M. Fisher faisait plusieurs séjours dans la maison pendant l'été, le temps d'un week-end, et il passait invariablement la première semaine d'août avec nous. Il était banquier et il lui était tout bonnement impossible, à l'écouter, de s'éloigner trop longtemps de son bureau. De toute façon, nous étions mieux sans lui, rien qu'entre nous. Lorsque M. Fisher venait à la mer, ce qui n'arrivait pas souvent, je me tenais toujours un peu plus droite. C'était le cas de tout le monde. Enfin, sauf de Susannah et de ma mère, bien sûr. Ma mère connaissait M. Fisher depuis aussi longtemps que Susannah – ils avaient été tous les trois dans la même fac, et c'était une petite fac.

Susannah m'avait toujours demandé d'appeler M. Fisher « Adam », mais je n'avais jamais pu m'y résoudre. Ça ne coulait pas de source. C'était « M. Fisher » qui me venait naturellement, comme à Steven. Je crois que quelque chose en lui poussait les gens à utiliser son nom de famille et je ne parle pas seulement des enfants. À mon avis, il préférait ça d'ailleurs.

Il arrivait à l'heure du dîner le vendredi soir et il était attendu. Susannah lui préparait son cocktail favori, bourbon et gingembre, pour qu'il le trouve dès qu'il avait franchi le seuil de la maison. Ma mère se moquait d'elle, mais Susannah s'en fichait. Ma mère taquinait M. Fisher, également. Il répliquait aussi sec. Peut-être que « taquiner » n'est pas le bon terme. C'étaient plutôt des chamailleries. Ils se querellaient souvent, en vérité, mais ils souriaient également. C'était bizarre : ma mère et mon père se disputaient rarement, mais ils ne souriaient pas plus souvent.

Je suppose que M. Fisher était bel homme, pour un papa. Il était plus beau que le mien, en tout cas, mais il était aussi plus vaniteux. J'ignore s'il était aussi séduisant que Susannah était belle – ma vision était sans doute déformée parce que j'aimais Susannah plus que presque tout et que pour moi rien ne pouvait lui arriver à la cheville. Parfois, les gens vous paraissent un million de fois plus beaux qu'ils ne le sont en réalité. Comme si on les voyait à travers des verres spéciaux – sauf qu'à partir du moment où on les perçoit d'une certaine façon, est-ce qu'ils ne finissent pas par le devenir réellement ? C'est comme l'histoire de l'arbre qui tombe dans la forêt : fait-il du bruit si personne ne l'entend ?

M. Fisher nous donnait un billet de vingt dollars chaque fois que nous sortions. Il le confiait à Conrad.

– Achetez-vous des glaces, disait-il, ou des sucreries.

Des sucreries. C'était toujours pour acheter du sucré. Conrad vénérait son père, il le considérait comme un héros. Cela a duré longtemps. Plus longtemps que pour la plupart des enfants. Je crois que mon père a cessé d'être mon héros lorsque je l'ai vu en compagnie d'une de ses étudiantes après sa séparation avec ma mère. Elle n'était même pas jolie.

Il serait facile de faire porter le chapeau à mon père pour tout – le divorce, le nouvel appartement. Mais si j'en voulais à quelqu'un, c'était à ma mère. Pourquoi s'était-elle montrée si calme, si placide ? Au moins, mon père avait pleuré, lui. Au moins, il avait souffert. Ma mère n'avait rien dit, n'avait trahi aucun sentiment. Notre famille était brisée et elle faisait comme si de rien n'était. Ce n'était pas normal.

Lorsque nous étions rentrés à la maison après les vacances, cet été-là, mon père avait déjà déménagé – il avait emporté ses éditions originales d'Hemingway, son jeu d'échecs, ses CD de Billy Joel et Claude. Claude était son chat et il aimait mon père comme personne. Il était naturel qu'il parte avec lui. Et pourtant, ça m'avait fait de la peine. D'une certaine façon, le départ du chat avait été presque pire que celui de mon père, parce que sa présence était attachée à chaque recoin de notre maison. Comme si ça avait été lui, le propriétaire des lieux.

Mon père m'avait emmenée déjeuner dans un Applebee's et il m'avait dit d'un air contrit :

– Je suis désolé, j'ai pris Claude. Il te manque ?

Pendant la majeure partie du repas, il avait eu de la sauce russe dans la barbe qu'il avait récemment laissé pousser. Ça m'avait contrariée. Sa barbe m'avait contrariée ; le déjeuner aussi.

— Non, avais-je répondu les yeux rivés sur ma soupe à l'oignon. C'est ton chat, de toute façon.

Mon père avait la garde de Claude, et ma mère, la mienne et celle de Steven. Ça convenait à tout le monde. On voyait mon père presque chaque week-end. On les passait dans son nouvel appartement, qui sentait le moisi, malgré l'encens.

Je détestais l'encens, comme ma mère. Ça me faisait éternuer. Je pense que mon père avait le sentiment d'être indépendant et original maintenant qu'il pouvait brûler tout l'encens qu'il voulait dans sa « casbah » comme il disait. Dès que j'avais pénétré chez lui, je l'avais accusé :

— Ça sent l'encens ici, non ?

Avait-il déjà oublié mes allergies ? Il avait avoué que oui, penaud, et que c'était la dernière fois. Il avait recommencé pourtant. Il attendait que je sois partie et il ouvrait la fenêtre, mais je le sentais quand même.

C'était un trois-pièces ; il dormait dans la plus grande chambre et moi dans l'autre, dans un petit lit simple avec des draps roses. Mon frère avait droit au canapé-lit. Ce qui me rendait jalouse, parce qu'il pouvait rester debout tant que la télé était allumée. Ma chambre ne contenait qu'un lit et une commode blanche, que j'utilisais à peine. Seul un tiroir accueillait des vêtements, les autres restaient vides. Il y avait également une bibliothèque remplie des livres que mon père m'avait achetés. Il m'en achetait en permanence. Il espérait que je deviendrais aussi intelligente que lui et que je partagerais son amour des mots, de la lecture. J'aimais bien lire, mais pas comme il l'aurait souhaité. Je n'étais pas... une intello. J'appréciais les romans, mais pas les essais. Et je détestais mes draps roses et rêches. S'il m'avait demandé mon avis, j'aurais choisi du jaune, pas du rose.

Il faisait des efforts, pourtant. À sa façon, il faisait des efforts. Il avait acheté un piano d'occasion rien que pour moi et lui avait trouvé une place dans le salon, qui n'était pas grand pourtant. Pour que je puisse en jouer aussi quand je passais la nuit chez lui. Je ne l'avais presque pas utilisé – il était désaccordé et je n'avais jamais eu le cœur de le lui dire.

C'était l'une des raisons pour lesquelles j'aimais tant l'été. Pendant ces mois-là, je n'allais pas dans l'appartement lugubre de mon père. Non pas que je n'aimais pas le voir, lui. Il me manquait terriblement. Mais son appartement était déprimant. Si seulement j'avais pu le voir chez nous. Dans notre maison. Si seulement les choses avaient pu être comme avant... Nous passions une grande partie de l'été avec ma mère et il nous emmenait toujours quelque part à notre retour, Steven et moi. En général, nous allions en Floride, voir notre grand-mère. On l'appelait Granny. C'était un séjour démoralisant – Granny s'évertuait à essayer de le convaincre de se remettre avec ma mère, parce qu'elle l'adorait.

– As-tu parlé avec Laurel récemment ? lui répétait-elle longtemps encore après leur divorce.

Je détestais quand elle le harcelait avec ça ; comme si c'était du ressort de mon père. C'était même humiliant : ma mère était à l'origine de la séparation. C'était elle qui avait accéléré le divorce, elle qui avait mis la machine en branle, ça, je le savais. Mon père aurait volontiers continué à vivre dans notre maison bleue à un étage, avec Claude et tous ses livres.

Il m'avait un jour raconté que Winston Churchill avait dit que la Russie était un rébus enveloppé de mystère au sein d'une énigme. D'après mon père, Churchill parlait de ma mère en réalité. C'était avant le divorce et il l'avait dit avec un mélange d'amertume et de respect. Il l'admirait, même lorsqu'elle l'insupportait.

Je crois qu'il aurait pu rester avec elle éternellement, s'échinant à résoudre cette énigme. Il adorait les casse-tête, les théorèmes et les théories. L'inconnue *x* correspondait toujours à quelque chose. Elle ne pouvait pas rester tout simplement *x*.

À mes yeux, ma mère n'était pas très mystérieuse. C'était ma mère. Une femme raisonnable et sûre d'elle. À mes yeux, elle était aussi transparente qu'un verre d'eau. Elle savait ce qu'elle voulait et ce qu'elle ne voulait pas. C'est-à-dire rester mariée à mon père. J'ignorais simplement si elle avait cessé de l'aimer ou si ça n'avait jamais été le cas, si elle ne l'avait jamais aimé.

Lorsque nous étions chez Granny, ma mère faisait un voyage. Elle allait dans des pays lointains, comme la Hongrie ou l'Alaska. Elle partait seule. Elle prenait des photos, mais je ne demandais jamais à les voir, et elle ne me le proposait jamais.

Chapitre treize

15 ans

J'étais occupée à lire un magazine dans un fauteuil en teck en mangeant une tartine quand ma mère m'a rejointe. Elle avait cette expression sérieuse et décidée, celle qu'elle adopte lorsqu'elle a l'intention d'avoir une conversation mère-fille sérieuse. Je redoutais autant ces conversations que mes règles.

– Que fais-tu aujourd'hui ? m'a-t-elle demandé d'un air innocent.

J'ai englouti ma tranche de pain.

– Je mange ?

– Tu pourrais t'attaquer à ta liste de lectures estivales, par exemple, a-t-elle dit en chassant quelques miettes de mon menton.

– Ouais, j'y pensais justement, ai-je répondu, alors que ça ne m'avait pas effleurée une seule seconde.

Ma mère s'est éclairci la gorge avant de poursuivre :

– Est-ce que Conrad se drogue ?

– Quoi ?

– Est-ce que Conrad se drogue ?

J'ai failli m'étouffer.

– Non ! Pourquoi tu me poses cette question d'abord ? Conrad ne me dit rien. Demande à Steven !

– Je l'ai déjà fait. Il n'en sait rien. Et il est incapable de mentir, a-t-elle ajouté en me dévisageant.

– Moi aussi !

Ma mère a soupiré.

– Je sais. Beck s'inquiète. Il a changé. Il a arrêté le football...

– J'ai bien arrêté la danse, ai-je répliqué avec une pointe d'exaspération. Et tu ne me vois pas me balader avec une pipe à crack pour autant.

Elle a pincé les lèvres.

– Tu me promets de venir me trouver si tu entends parler de quelque chose ?

– Je ne sais pas... ai-je rétorqué d'un air taquin.

Je n'avais pas besoin de promettre. Je savais que Conrad ne se droguait pas. Une bière de temps à autre, c'était une chose, mais il ne toucherait jamais à la drogue. J'aurais pu le parier sur ma vie.

– Belly, je suis très sérieuse.

– Détends-toi, maman. Ce n'est pas un drogué. Et depuis quand es-tu aussi à cheval sur la question ? Tu n'es pas la mieux placée, ai-je ajouté en lui donnant une bourrade malicieuse.

Elle a retenu un sourire en secouant la tête.

– Ne commence pas...

Chapitre quatorze

13 ans

La première fois, elles ont cru qu'on n'en saurait rien. Ce qui était plutôt idiot de leur part, vu que c'était l'une des rares soirées qu'on passait tous à la maison. On était dans le salon. Conrad écoutait de la musique avec ses écouteurs, pendant que Jeremiah et Steven jouaient à un jeu vidéo. Je lisais *Emma* dans le fauteuil relax, principalement parce que j'étais persuadée que ça me donnait un air intelligent – en réalité ça ne me plaisait pas trop. Si j'avais voulu lire un truc vraiment bien, je me serais enfermée dans ma chambre avec *Fleurs captives*, de Virginia C. Andrews, ou un autre bouquin dans le genre, mais pas Jane Austen.

Il me semble que c'est Steven qui l'a remarqué le premier. Il a regardé autour de lui en reniflant comme un chien, puis il a lancé :

– Eh, vous sentez ?

– Je t'avais dit de ne pas manger autant de haricots, Steven, a rétorqué Jeremiah, les yeux rivés sur l'écran de télé.

J'ai ricané. Mais ce n'était pas un pet ; je le sentais moi aussi. C'était de l'herbe.

– C'est de l'herbe.

Je voulais être la première à le dire tout haut, pour prouver que j'étais très au fait.

– Impossible, a rétorqué Jeremiah.

Conrad a retiré ses écouteurs pour déclarer :

– Belly a raison, c'est de l'herbe.

Steven a interrompu le jeu et s'est tourné vers moi.

– Comment tu connais l'odeur de l'herbe, Belly ? m'a-t-il demandé d'un air suspicieux.

– Parce que je passe mon temps à me défoncer, Steven. Je suis une camée, tu ne le savais pas ?

Je détestais quand Steven jouait les grands frères, en particulier devant Conrad et Jeremiah. On aurait dit qu'il prenait un malin plaisir à me rappeler que j'étais la petite. Il m'a ignorée.

– Ça vient d'en haut ?

– C'est à ma mère, a répondu Conrad en remettant ses écouteurs. Pour sa chimio.

Jeremiah n'était pas au courant, on pouvait le lire sur son visage. Il n'a rien dit, mais il était surpris et même blessé, ça se voyait à sa façon de se gratter la nuque, à ses yeux fuyants. Steven et moi avons échangé un regard. Chaque fois que le cancer de Susannah venait sur la table, nous avions la sensation bizarre d'être des étrangers. On ne savait jamais quels mots prononcer et on gardait le silence. Habituellement, on faisait comme si ça n'existait pas, comme Jeremiah.

Ma mère avait une réaction radicalement différente. Elle était pragmatique et posée, comme elle l'était dans la vie quotidienne. Susannah disait que ma mère lui donnait le sentiment d'être normale. Elle avait un don pour ça, ma mère. Pour rassurer. Comme si, tant qu'elle était là, rien de vraiment grave ne pouvait arriver.

Lorsqu'elles sont redescendues un peu plus tard, elles gloussaient comme deux adolescentes qui se sont servies dans les alcools de leurs parents. À l'évidence, ma mère avait fumé avec Susannah.

Avec Steven, nous avons échangé un nouveau regard, horrifié cette fois. Ma mère était sans doute la dernière personne sur Terre que je m'attendais à voir consommer de la drogue – à l'exception de notre grand-mère maternelle, Gran.

– Vous avez fini les Miel Pop's ? nous a demandé ma mère en fouillant dans un placard. Je meurs de faim.

– Oui, a répondu Steven.

Il était incapable de croiser son regard.

– Et pourquoi pas des chips plutôt ? Tiens, prends ce paquet, lui a ordonné Susannah, en venant se placer derrière mon fauteuil.

Elle s'est mise à me caresser les cheveux, j'adorais quand elle le faisait. Susannah était beaucoup plus affectueuse que ma mère et elle disait d'ailleurs que j'étais la fille qu'elle n'avait pas eue. Elle aimait me partager avec ma mère, ce qui ne la dérangeait pas. Et moi non plus.

– *Emma* te plaît jusqu'ici ?

Elle avait une façon de parler qui vous donnait l'impression d'être la personne la plus intéressante de la pièce.

Je m'apprêtais à mentir et à prétendre que je trouvais ça formidable, mais, avant que je n'en aie le temps, Conrad a lancé, très fort :

– Elle n'a pas tourné une page depuis plus d'une heure.

Il n'avait même pas retiré ses écouteurs. Je l'ai fusillé du regard, mais, en réalité, j'étais aux anges. Pour une fois, c'était lui qui m'avait observée. Enfin, pour être honnête, rien ne lui échappait jamais. Conrad remarquait si le chien du voisin avait un œil irrité ou si le livreur de pizzas avait changé de voiture. Ça n'avait rien d'exceptionnel d'être l'objet de son attention. C'était même normal.

– Tu vas adorer quand ça aura démarré, m'a assuré Susannah en passant une main sur mon front.

– Il me faut toujours du temps pour entrer dans un livre, ai-je dit comme si je m'excusais.

Je ne voulais pas qu'elle le prenne mal, c'était elle qui me l'avait conseillé.

Puis ma mère est revenue dans le salon avec un sachet de Twizzlers[1] et le paquet de chips à demi entamé. Elle a jeté un bonbon à Susannah en lançant, avec un peu de retard :

– Attrape !

1. Bonbons constitués de longs tubes creux de gélatine aux fruits.

Susannah a tendu la main, mais il est tombé par terre, et elle l'a ramassé en gloussant.

– Ce que je suis maladroite, a-t-elle dit en se mettant à mâchonner une extrémité du Twizzlers comme s'il s'agissait d'un brin de paille et qu'elle était en pleine nature. Qu'est-ce qui m'arrive ?

– Maman, on sait que vous fumiez de l'herbe en haut, a rétorqué Conrad en bougeant légèrement la tête en rythme sur la musique que lui seul pouvait entendre.

Susannah s'est couvert la bouche de la main. Elle n'a rien répondu, mais elle paraissait sincèrement embêtée.

– Oups, a dit ma mère. Je crois qu'ils ont découvert le pot aux roses, Beck. Les garçons, votre mère a fumé de la marijuana pour raison médicale, à cause des nausées provoquées par la chimio.

Sans quitter la télé des yeux, Steven a lancé :

– Et toi, maman ? Tu en as pris pour ta chimio, aussi ?

Il cherchait à détendre l'atmosphère et ça a fonctionné. Steven était doué. Susannah a étouffé un rire et ma mère lui a lancé un bonbon dans le dos.

– Gros malin. Je soutiens moralement ma meilleure amie. Il y a des crimes plus graves.

Steven a ramassé le Twizzlers et l'a épousseté avant de le mettre dans sa bouche.

– Je suppose donc que ça ne vous pose pas de problème si je fume, moi aussi ?

– Lorsque tu affronteras un cancer du sein, lui a dit ma mère, en échangeant un sourire avec Susannah.

– Ou que tu soutiendras ta meilleure amie, a ajouté Susannah.

Pendant toute la durée de l'échange, Jeremiah n'a pas décroché un mot. Il se contentait de jeter régulièrement des regards à sa mère tout en suivant la partie sur la télé, comme s'il craignait qu'elle ne s'évanouisse dans les airs dès qu'il aurait le dos tourné.

Nos mères pensaient que nous étions à la plage cet après-midi-là. Elles ignoraient qu'on s'ennuyait, Jeremiah et moi, et qu'on était rentrés à la maison pour goûter. En gravissant les marches du perron, on les a entendues discuter, à travers la moustiquaire.

Jeremiah s'est figé lorsque Susannah a dit :

– Laurie, je m'en veux de penser une chose pareille, mais je crois que je préférerais mourir plutôt que perdre un sein.

Jeremiah a retenu son souffle jusqu'à la fin de la phrase, puis il s'est assis et je l'ai imité.

– Je sais que tu ne le penses pas vraiment, a rétorqué ma mère.

Je la détestais quand elle disait ce genre de choses, et je suppose que Susannah aussi, parce qu'elle a repris :

– Ne me dis pas ce que je pense !

Je ne l'avais jamais entendue parler aussi sèchement, avec autant de colère.

– D'accord, d'accord, je ne recommencerai pas.

Susannah s'est alors mise à pleurer. On ne les voyait pas, mais je savais que ma mère lui frottait le dos en dessinant de grands cercles, comme avec moi quand j'étais contrariée.

J'aurais voulu faire pareil pour Jeremiah, l'aider à se sentir mieux, mais j'en étais incapable. Alors je lui ai pris la main et je l'ai serrée de toutes mes forces. Il ne m'a pas regardée, mais il n'a pas non plus retiré sa main. C'est à ce moment-là que notre amitié est née.

Puis ma mère a décrété de sa voix la plus sérieuse, la plus impassible :

– Je dois reconnaître que tes lolos sont vraiment impressionnants.

Susannah s'est esclaffée – on aurait dit une otarie –, mêlant le rire aux larmes. Tout allait s'arranger. Si ma mère plaisantait, si Susannah rigolait, ça allait forcément s'arranger.

J'ai lâché la main de Jeremiah et je me suis relevée. Il m'a suivie. On est retournés à la plage en silence. Qu'est-ce qu'il y avait à dire de toute façon ? « Je suis désolée que ta mère ait un cancer » ? « J'espère qu'elle ne perdra pas un sein » ?

Quand on est arrivés à l'endroit de la plage où on avait installé nos affaires, Conrad et Steven venaient de sortir de l'eau avec leurs bodyboards. On ne prononçait toujours pas un mot, et Steven l'a remarqué. J'imagine que Conrad l'avait noté aussi, mais il n'en a rien dit.

– Qu'est-ce qui se passe ? a demandé Steven.

– Rien, ai-je répondu en ramenant mes genoux contre ma poitrine.

— Vous venez d'échanger votre premier baiser, ou quoi ? a-t-il insisté en agitant son maillot plein d'eau sur mes jambes.

— La ferme, ai-je répondu.

J'étais tentée de tirer sur son maillot, rien que pour faire diversion. L'été précédent, les garçons avaient passé leur temps à jouer à ce petit jeu en public, c'était une vraie obsession. Je n'y avais jamais pris part, mais là, ça me démangeait.

— Ah, j'en étais sûr ! a-t-il dit en me donnant une bourrade.

J'ai repoussé sa main d'un mouvement des épaules et je lui ai répété de se taire. Il a alors entonné :

— « *Summer lovin', had me a blast, summer lovin', happened so fast*[1]... »

— Steven, arrête de faire l'imbécile, ai-je dit en secouant la tête et en jetant un regard exaspéré à Jeremiah.

Mais celui-ci s'est levé d'un coup, a chassé le sable de son short et s'est dirigé vers la mer, pour s'éloigner de nous, de la maison.

— Tu as tes règles ou quoi ? Je plaisantais, mec ! lui a lancé Steven.

Sans se retourner, Jeremiah a continué à marcher vers le rivage.

---

1. « Amour d'été, qui m'a foudroyé, amour d'été, si vite arrivé... » Paroles de *Summer Nights*, chanson tirée de la comédie musicale *Grease* (créée au théâtre par J. Jacobs et W. Casey en 1972 et adaptée au cinéma par R. Kleiser en 1978).

– Allez ! a insisté Steven.

– Laisse-le tranquille, est intervenu Conrad.

Les deux frères ne m'avaient jamais paru particulièrement proches, mais, à certaines occasions, comme celle-ci, ils se comprenaient parfaitement. En voyant Conrad protéger Jeremiah, j'ai éprouvé un immense élan d'amour vers lui – qui a déferlé dans ma poitrine à la façon d'une vague. Et j'ai aussitôt culpabilisé : de quel droit laissais-je le cancer de Susannah alimenter mes sentiments pour Conrad ?

J'ai bien compris que Steven se sentait mal, qu'il était perdu. La réaction de Jeremiah était inhabituelle : il était toujours le premier à rigoler, à renvoyer une vanne.

Mais j'étais d'humeur à remuer le couteau dans la plaie.

– T'es vraiment un trouduc, Steven.

Il m'a regardée sans comprendre.

– Mince, mais qu'est-ce que j'ai fait ?

Je l'ai ignoré et je me suis allongée sur la serviette en fermant les yeux. J'ai regretté de ne pas avoir les écouteurs de Conrad. J'aurais bien voulu oublier cette journée.

Ce soir-là, lorsque Conrad et Steven ont décidé d'aller pêcher, Jeremiah s'est défilé, alors que c'était son activité préférée. Il passait son temps à essayer de convaincre tout le monde de sortir pêcher avec lui. Mais là, il a dit qu'il n'était pas motivé. Conrad et Steven sont partis, et Jeremiah est resté à la maison avec moi. On a regardé la télé et joué aux cartes. Comme une grande partie du restant des vacances, rien que nous deux. Notre amitié s'est cimentée cet été-là. Certains matins, Jeremiah me réveillait de bonne heure pour aller ramasser des coquillages et des crabes de sable ou pour aller en vélo jusqu'au marchand de glaces, à cinq kilomètres de là. Lorsqu'on était entre nous, il était beaucoup moins blagueur, mais il restait Jeremiah.

À partir de cet été-là, je me suis sentie plus proche de lui que de mon propre frère. Jeremiah était plus sympa. Peut-être parce qu'il était le cadet, lui aussi, ou peut-être parce que c'était sa nature, tout simplement. Il était gentil avec tout le monde. Il avait un don pour mettre les gens à l'aise.

Chapitre quinze

15 ans

Il pleuvait depuis trois jours. À seize heures, le troisième jour, Jeremiah tournait comme un lion en cage. Il n'était pas du genre à rester enfermé, il avait besoin de bouger. Il avait toujours un nouvel endroit à découvrir. Il a dit qu'il n'en pouvait plus et il a demandé qui voulait l'accompagner au cinéma. Il n'y en avait qu'un seul à Cousins, à l'exception du drive-in, dans le centre commercial.

Conrad était dans sa chambre et, lorsque Jeremiah est monté pour lui proposer de venir, il a décliné. Il passait beaucoup de temps seul et je voyais bien que Steven en prenait ombrage. Il partirait bientôt visiter les facs avec notre père et Conrad n'en avait apparemment rien à faire. Lorsqu'il n'était pas au boulot, il était occupé à accorder sa guitare ou à écouter de la musique.

Il ne restait donc que Jeremiah, Steven et moi. J'ai réussi à les convaincre d'aller voir une comédie romantique sur deux promeneurs de chiens qui empruntaient le même trajet et tombaient amoureux. C'était le seul film qui passait à ce moment-là. L'autre ne commençait pas avant une heure. Cinq minutes environ après le début, Steven s'est levé.

– Je peux pas regarder ça, a-t-il lâché, dégoûté. Tu viens, Jer' ?

– Nan, je vais rester avec Belly.

Steven a eu l'air surpris, mais il a haussé les épaules.

– Je vous retrouve à la fin.

J'ai été surprise, moi aussi. Le film était catastrophique.

Peu après la défection de Steven, une armoire à glace est venue s'asseoir juste devant moi.

– On échange, a chuchoté Jeremiah.

J'aurais dû refuser, mais c'était Jeremiah. Je n'avais pas besoin de faire des manières. Je l'ai remercié et nous avons échangé nos places. Pour voir l'écran, Jeremiah devait se dévisser le cou et se pencher vers moi. Ses cheveux sentaient le shampooing de luxe qu'utilisait Susannah. Ça m'amusait : c'était un joueur de foot, grand et musclé, mais il embaumait. Chaque fois qu'il s'inclinait vers la droite, la douce odeur de ses cheveux m'emplissait les narines. J'aurais aimé que mes cheveux aient le même parfum.

Au milieu du film, Jeremiah s'est levé d'un seul coup. Il a disparu quelques minutes. Il est revenu avec un grand soda et un paquet de Twizzlers. J'ai tendu la main vers le gobelet pour prendre une gorgée, mais je me suis arrêtée :

– Tu as oublié les pailles.

Il a déchiré le haut du paquet de bonbons et plongé deux Twizzlers dans le verre en carton. Il souriait de toutes ses dents. Il avait l'air si fier de lui. J'avais oublié le coup des Twizzlers. On faisait des pailles avec, quand on était petits.

On a siroté le soda ensemble, comme dans une pub pour le Coca des années 1950 – la tête penchée, les fronts presque collés. Je me suis demandé si les gens pensaient qu'on sortait ensemble.

Jeremiah a plongé ses yeux dans les miens avec son sourire habituel et un truc fou m'a soudain traversé l'esprit. J'ai pensé : *Jeremiah Fisher a envie de m'embrasser*.

Ce qui était dingue. C'était Jeremiah, il ne m'avait jamais considérée comme ça. Quant à moi, c'était Conrad qui me plaisait, même s'il était lunatique et inaccessible. Ça avait toujours été Conrad. Je n'avais jamais pensé à Jeremiah, pas avec Conrad dans les parages. Et, bien sûr, Jeremiah n'avait jamais pensé à moi jusqu'à présent. J'étais son pote. Celui avec lequel il matait des films, celui qui partageait sa salle de bains et celui à qui il confiait ses secrets. Je n'étais pas la fille qu'il voulait embrasser.

Chapitre seize

13 ans

Je savais que c'était une erreur d'emmener Taylor. Je le savais. Je le savais et pourtant je l'ai fait. Taylor Jewel, ma meilleure amie. Les garçons de la classe l'appelaient Bijou[1] et elle feignait de détester ce surnom, alors qu'elle l'adorait.

Taylor répétait toujours que, chaque fois que je rentrais des vacances d'été, elle était obligée de me reconquérir. De me convaincre que je pouvais être heureuse ici aussi, en retrouvant ma vraie vie, le collège, les copains et les copines. Elle essayait de me mettre en couple avec le copain le plus mignon du type qui l'obsédait à ce moment-là. Je jouais le jeu, et on allait au cinéma ou au Starbucks, mais je n'étais pas vraiment là, pas complètement. Ces garçons n'arrivaient pas à la cheville de Conrad ou de Jeremiah, alors à quoi bon ?

Taylor était toujours la plus jolie, celle sur qui les garçons s'attardaient une seconde de plus. J'étais la fille

1. *Jewel* signifie « bijou » en anglais.

marrante, celle qui faisait rire. Je pensais qu'en l'emmenant en vacances je réussirais à prouver que j'étais jolie, moi aussi. *Vous voyez ? Vous voyez, je suis comme elle ; nous sommes pareilles, elle et moi.* Mais nous n'étions pas pareilles et tout le monde le savait. Je croyais que la présence de Taylor me permettrait d'être conviée lors des sorties nocturnes des garçons sur la promenade et de dormir avec eux à la belle étoile sur la plage. J'étais persuadée que ça élargirait mon horizon social, que je serais enfin, enfin, au cœur des choses.

J'avais raison sur ce dernier point, au moins.

Taylor me suppliait de l'inviter depuis toujours. J'avais résisté, prétextant qu'il n'y avait pas la place, mais elle savait se montrer très persuasive. C'était entièrement ma faute. J'avais parlé des garçons avec trop d'enthousiasme. Et, au fond de moi, je voulais qu'elle m'accompagne. Elle était ma meilleure amie, non ? Elle voulait qu'on partage tout – chaque instant, chaque expérience. Lorsqu'elle a rejoint le club d'espagnol, elle a insisté pour que je m'inscrive aussi, même si je n'avais pas choisi cette langue vivante.

– Comme ça, on partira au Mexique après le bac, disait-elle.

Je rêvais d'un séjour aux Galápagos après mon bac. Je voulais voir un fou à pieds bleus. Mon père avait promis de m'emmener. Je n'en avais pas parlé à Taylor. Ça ne lui aurait pas du tout plu.

Avec ma mère, nous sommes allées chercher Taylor à l'aéroport. Elle est arrivée avec un mini-short et un débardeur que je n'avais jamais vus. Je l'ai serrée dans mes bras et j'ai demandé, en essayant de dissimuler ma jalousie :

– Depuis quand tu as ces vêtements ?

– Ma mère m'a emmenée faire des courses juste avant mon départ, a-t-elle répondu en me tendant l'un de ses sacs de voyage. C'est mignon, non ?

– Ouais, mignon.

Son sac était lourd. Je me suis demandé si elle avait oublié qu'elle ne restait qu'une semaine.

– Elle culpabilise à cause de son divorce, du coup elle me paye des tonnes de trucs, a poursuivi Taylor en levant les yeux au ciel. On a même fait une pédicure-manucure ensemble. Regarde ! a-t-elle ajouté en brandissant sa main droite.

Ses ongles étaient peints en rose framboise, ils étaient longs et carrés.

– Ce sont les tiens ?

– Ouais ! Qu'est-ce que tu crois, Belly ? Je ne porte pas de faux.

– Mais je croyais que tu devais les garder courts pour le violon.

– Ah, ça... Maman m'a enfin permis d'arrêter. Merci le divorce... a-t-elle dit d'un air entendu. Tu sais ce que c'est.

Taylor était la seule fille de notre âge qui appelait encore sa mère maman. C'était aussi la seule qui pouvait se le permettre sans se faire chambrer.

Les garçons lui ont immédiatement prêté attention. Ils ont reluqué son petit bonnet B et ses cheveux blonds. J'aurais voulu leur faire remarquer que c'était un push-up. Qu'elle avait utilisé une demi-bouteille d'eau oxygénée – elle n'était pas aussi blonde, habituellement. Mais ça n'aurait rien changé.

Mon frère, en revanche, n'a pas détaché les yeux de l'écran de télé. Taylor l'énervait depuis toujours. Je me suis demandé s'il avait déjà mis en garde Conrad et Jeremiah.

– Hello, Ste-ven, a-t-elle lancé d'une voix chantonnante.

– Salut, a-t-il marmonné.

Taylor s'est tournée vers moi en louchant. *Scrogneugneu*, a-t-elle articulé en silence. J'ai éclaté de rire.

– Taylor, je te présente Conrad et Jeremiah. Tu connais Steven.

J'étais curieuse de savoir lequel elle choisirait, lequel elle trouverait le plus mignon, le plus drôle, le plus...

– Salut ! a-t-elle dit en les jaugeant.

Aussitôt, j'ai vu que c'était Conrad. Et j'ai été contente. Parce que je savais qu'il ne craquerait jamais, pas pour elle.

– Salut ! ont-ils répondu.

Puis Conrad s'est retourné vers la télé, comme je m'y attendais. Jeremiah lui a décoché un de ses sourires en coin.

– Alors, comme ça, tu es une copine de Belly, hein ? On croyait qu'elle n'avait pas d'amis.

J'ai attendu qu'il me sourie pour montrer qu'il plaisantait, mais il ne m'a même pas accordé un regard.

— La ferme, Jeremiah, ai-je lancé.

Alors seulement il m'a souri, mais c'était un petit sourire superficiel et il a aussitôt reporté son attention sur Taylor.

— Belly a des tonnes d'amis, lui a-t-elle fait savoir avec sa désinvolture habituelle. À ton avis, je suis du genre à traîner avec les minables ?

— Oui, a lancé mon frère, qui s'est redressé sur le canapé de sorte que seule sa tête dépassait. Exactement.

Taylor l'a fusillé du regard.

— Retourne te branler, Steven, a-t-elle dit avant de se tourner vers moi. Et si tu me montrais notre chambre ?

— Ouais, pourquoi tu ne ferais pas ça, Belly ? Pourquoi tu ne jouerais pas le toutou de Tay-Tay ? a-t-il demandé avant de se rallonger.

Je l'ai ignoré.

— Viens, Taylor.

Dès que nous sommes entrées dans la pièce, Taylor s'est jetée sur le lit près de la fenêtre, mon lit, celui dans lequel je dormais.

— Oh mon Dieu, il est trop mignon !

— Qui ? ai-je demandé même si je connaissais la réponse.

— Le brun, bien sûr. J'aime les hommes ténébreux.

J'ai retenu un soupir d'exaspération. Les hommes ? Taylor était sortie avec deux garçons, qui n'avaient rien, ni l'un ni l'autre, d'hommes.

– Je préfère te prévenir, Conrad ne s'intéresse pas aux filles.

C'était faux, je le savais ; il s'intéressait aux filles. Il s'était suffisamment intéressé à cette Angie, l'été passé, pour aller jusqu'à la peloter, non ? Les prunelles marron de Taylor luisaient.

– J'adore les défis. Tu ne te souviens pas que j'ai été élue déléguée de classe cette année ? Et suppléante l'année d'avant ?

– Évidemment que je me souviens. J'étais ta directrice de campagne. Mais Conrad est différent. Il...

J'ai hésité, cherchant le mot qui découragerait Taylor.

– Il est presque... dérangé.

– Quoi ? a-t-elle hurlé.

Je me suis aussitôt rétractée. J'avais peut-être été un peu loin.

– Enfin pas vraiment « dérangé », mais il se réfugie parfois dans sa coquille. Il a un côté très renfermé. Tu devrais tenter le coup avec Jeremiah. C'est davantage ton genre.

– Qu'est-ce que tu essaies de me dire, Belly ? Que je ne suis pas profonde ?

– Eh bien...

Elle était à peu près aussi profonde qu'une piscine gonflable pour enfants.

– Ne réponds pas à cette question.

Taylor a commencé à déballer ses affaires avant de reprendre :

— Jeremiah est mignon, mais c'est Conrad que je veux. Je vais lui faire tourner la tête.

— Tu ne pourras pas prétendre que je ne t'avais pas prévenue.

J'avais déjà hâte de lui balancer : je te l'avais bien dit. Et le plus tôt possible. Elle a brandi un bikini à pois jaunes.

— Tu crois qu'il est assez mini pour Conrad ?

— Il doit même être trop petit pour Bridget, ai-je répondu.

Bridget, sa petite sœur, avait sept ans et elle était petite pour son âge.

— Exactement.

J'ai levé les yeux au ciel.

— Je t'aurai prévenue... Et tu es assise sur mon lit.

Nous avons enfilé nos maillots de bain – Taylor son minuscule bikini jaune et moi mon une-pièce noir, qui n'était vraiment pas décolleté. Pendant que nous nous changions, Taylor m'a scrutée.

— Belly, tes lolos ont sacrément grossi !

J'ai retiré mon tee-shirt et répondu :

— Pas vraiment.

Elle avait raison, pourtant, ils avaient poussé. En une nuit, quasiment. Ce qui était sûr, c'est que je n'en avais pas l'été précédent. Je les détestais. Ils me ralentissaient : je ne courais plus aussi vite, c'était trop gênant. À cause d'eux, je portais des tee-shirts informes et des maillots une-pièce. J'avais trop peur de la réaction des garçons. Ils se ficheraient forcément de moi, Steven me dirait de m'habiller plus décemment et j'aurais envie de mourir.

– Tu fais quelle taille maintenant ? m'a-t-elle demandé d'un ton accusateur.

– B, ai-je menti.

C'était plutôt du C. Taylor a eu l'air soulagée.

– Ah, alors on a presque la même taille, je fais pratiquement du B. Pourquoi tu ne mettrais pas un de mes deux-pièces ? On dirait que tu vas passer un test pour l'équipe de natation, avec ce maillot.

Elle m'a montré un ensemble rayé bleu et blanc avec des nœuds rouges sur les côtés.

– Je suis dans l'équipe de natation, lui ai-je rappelé.

J'avais nagé tout l'hiver. L'été, je ne pouvais pas participer aux compétitions parce que j'étais à Cousins. L'équipe de natation me permettait de rester connectée, à longueur d'année, à mon univers estival, elle rendait l'attente moins longue.

– Inutile de me le rappeler ! a dit Taylor.

Elle a balancé le maillot de droite à gauche.

– Il irait tellement bien avec tes cheveux châtains et tes nouveaux lolos.

J'ai fait une moue en repoussant sa main.

Une part de moi rêvait de se mettre en avant, d'épater les garçons, de leur montrer que j'avais changé, que j'étais devenue une vraie fille, mais l'autre part, la raisonnable, savait que je courrais à ma perte en le faisant. Steven me jetterait une serviette sur la tête et j'aurais l'impression d'avoir dix ans et non treize.

— Mais pourquoi ?

— J'aime bien faire des longueurs dans la piscine.

Ce qui était vrai. Elle a haussé les épaules.

— Très bien, mais ne viens pas te plaindre si les garçons ne t'adressent pas la parole.

J'ai haussé les épaules à mon tour.

— Ça m'est égal qu'ils m'adressent ou non la parole, je n'ai pas besoin de ça.

— À d'autres ! Tu es obsédée par Conrad depuis que je te connais ! Tu n'as pas parlé à un seul type au collège cette année.

— Taylor, c'était il y a une éternité. Ils sont comme des frères pour moi, comme Steven, ai-je rétorqué en enfilant un short. Parle-leur autant que tu veux.

Pour être honnête, j'aimais Conrad et Jeremiah, chacun différemment, et je ne voulais pas que Taylor le sache, de peur que ça ne pimente encore le défi qu'elle s'était fixé. Et ce n'était pas comme si ça pouvait l'influencer. Elle était décidée à jeter son dévolu sur Conrad, de toute façon. J'avais envie de lui dire : « N'importe qui, mais pas Conrad », alors que ça n'aurait pas exprimé la réalité de mes sentiments. Je serais tout aussi jalouse si elle choisissait Jeremiah : il était mon ami, pas le sien.

Il a fallu des heures à Taylor pour choisir la paire de lunettes de soleil la mieux assortie à son maillot (elle en avait apporté quatre), deux magazines et son ambre solaire. Quand nous sommes redescendues, les garçons étaient déjà au bord de la piscine.

Je me suis aussitôt déshabillée, prête à sauter dans l'eau, mais Taylor a hésité, enroulée dans sa serviette. J'ai compris qu'elle était soudain nerveuse à cause de son minuscule deux-pièces et ça m'a fait plaisir. Sa vantardise commençait à me lasser.

Les garçons ne nous ont pas accordé un seul regard. J'avais eu peur qu'avec la présence de Taylor ils changent d'attitude, qu'ils ne s'amusent pas à leurs trucs habituels. Mais ils s'en donnaient à cœur joie dans la piscine et essayaient de se faire boire mutuellement la tasse.

Tout en me débarrassant de mes tongs, j'ai lancé :

– À l'eau !

– Je vais peut-être me mettre un peu au soleil avant, a dit Taylor.

Elle a fini par lâcher sa serviette pour l'étaler sur un transat.

– Tu n'as pas envie de t'allonger aussi ?

– Non, il fait chaud et j'ai envie de nager. En plus, je suis déjà bronzée.

Ce qui était le cas. Je virais au caramel foncé. Je ressemblais à quelqu'un d'autre en été et c'était peut-être ce que je préférais à cette période de l'année.

Taylor, quant à elle, était aussi pâle que de la pâte à tarte. J'avais le sentiment, pourtant, qu'elle me rattraperait rapidement. Elle avait le chic pour ça.

J'ai retiré mes lunettes et je les ai posées sur mes vêtements. Puis je me suis dirigée vers la partie la plus profonde du bassin et j'ai plongé. Le contact avec l'eau était comme une décharge, dans le meilleur sens du terme. En remontant à la surface, j'ai aspergé les garçons.

– On joue à Marco Polo ? ai-je proposé.

Steven, qui s'évertuait à vouloir faire boire la tasse à Conrad, s'est interrompu pour rétorquer :

– Non, c'est pas marrant.

– On n'a qu'à jouer à la poule mouillée, est intervenu Jeremiah.

– C'est quoi ? ai-je demandé.

– Il y a deux équipes, un membre de chaque équipe en prend un autre sur les épaules, puis il faut essayer de faire tomber l'adversaire, a expliqué mon frère.

– C'est marrant, je te jure, m'a dit Jeremiah, avant de lancer à Taylor : Tyler, tu veux jouer avec nous ? À moins que tu ne sois déjà une poule mouillée ?

Taylor a relevé le nez de son magazine. Je ne voyais pas ses yeux à cause de ses lunettes de soleil, mais je sentais qu'elle était agacée.

– C'est Tay-lor, pas Tyler, Jeremy. Et non, je n'ai pas envie de jouer.

Steven et Conrad ont échangé un regard. Je savais parfaitement ce qu'ils pensaient.

– Viens, Taylor, on va bien s'amuser, ai-je dit en levant les yeux au ciel. Ne fais pas ta poule mouillée.

Elle a fait son cinéma en poussant un soupir appuyé avant de poser son magazine, de se relever et de lisser son maillot de bain.

– Est-ce que je dois retirer mes lunettes ?

Jeremiah lui a souri.

– Pas si tu es dans mon équipe. Tu ne tomberas pas.

Taylor les a quand même ôtées et je me suis alors rendu compte qu'on était un nombre impair et que quelqu'un resterait sur la touche.

– Je vous regarde, ai-je proposé, alors que j'avais envie de jouer.

– C'est bon, je ne joue pas, a dit Conrad.

– On fera deux manches, a suggéré Steven.

– C'est bon, a insisté Conrad en haussant les épaules.

Il a nagé jusqu'au rebord.

– Je choisis Tay-lor, a annoncé Jeremiah.

– C'est pas juste, elle est plus légère, a rechigné Steven avant de relever la tête et de découvrir l'expression sur mon visage. Tu es plus grande qu'elle, c'est tout.

Je n'avais plus envie de participer.

– Pourquoi est-ce que je n'irais pas m'asseoir là-bas, plutôt ? Je ne voudrais vraiment pas t'abîmer le dos, Steven.

– Oh, je te choisis, Belly, a lancé Jeremiah. On va gagner. Je parie que tu es beaucoup plus forte que la petite Tay-lor.

Celle-ci, qui frémissait en descendant les marches de la piscine à cause de la température de l'eau, a répliqué :

– Je suis très forte, Jeremy.

Jeremiah s'est accroupi et je me suis hissée sur ses épaules. Sa peau était glissante et j'ai eu du mal à me stabiliser au départ. Puis il s'est relevé et s'est tenu bien droit.

J'ai trouvé l'équilibre en posant mes mains sur sa tête.

— Je suis trop lourde ? lui ai-je demandé doucement.

Son corps était si sec et nerveux que j'avais peur de le casser.

— Tu es légère comme une plume, a-t-il menti en soufflant et en agrippant mes jambes.

J'ai eu envie de lui embrasser le dessus du crâne à cet instant-là.

En face de nous, Taylor était perchée sur les épaules de Steven, elle gloussait en lui tirant les cheveux pour rester en place. Mon frère semblait être à deux doigts de l'éjecter à l'autre bout du bassin.

— Prêts ? a demandé Jeremiah.

Puis, à voix basse :

— Le truc, c'est de bien garder l'équilibre.

Steven a acquiescé et nous nous sommes avancés au milieu de la piscine. Conrad a lancé :

— À vos marques, prêts, partez !

Taylor et moi avons étendu les bras l'une vers l'autre et nous nous sommes mises à pousser et à tirer. Elle n'arrêtait pas de glousser et, lorsque je lui ai donné un coup un peu plus fort, elle a dit « Oh, merde ! » et Steven et elle sont tombés en arrière.

Avec Jeremiah, nous avons éclaté de rire avant de nous taper dans la main. Lorsqu'ils sont remontés à la surface, Steven a fusillé Taylor du regard.

— Je t'avais dit de te tenir.

Elle l'a éclaboussé au visage en répondant :

— C'est ce que j'ai fait !

Son eye-liner avait laissé des traces et son mascara commençait à couler, mais elle restait jolie.

– Belly ? a lancé Jeremiah.

– Mmmm ?

Je commençais à être bien là-haut.

– Fais gaffe !

Il s'est jeté en avant et nous avons tous les deux atterri dans l'eau. J'étais tellement hilare que j'ai bu la tasse, mais ça m'était égal. Dès que nous sommes remontés, j'ai filé vers lui pour le prendre par surprise et lui enfoncer la tête sous l'eau.

– Recommençons, a alors dit Taylor. Je joue avec Jeremy cette fois. Steven, tu n'auras qu'à te mettre avec Belly.

Steven, qui était toujours de mauvais poil, a dit :

– Rad, prends ma place.

– D'accord, a-t-il répondu d'une voix on ne peut moins enthousiaste.

Quand il s'est approché de moi, j'ai lancé, sur la défensive :

– Je ne suis pas si lourde que ça.

– Je n'ai jamais dit ça.

Il s'est baissé pour me laisser grimper. Ses épaules étaient plus musclées que celles de Jeremiah, plus solides.

– Ça va, là-haut ?

– Ouais.

De son côté, Taylor avait du mal à grimper sur Jeremiah. Elle n'arrêtait pas de glisser et de se gondoler. Ils s'amusaient. Trop. J'étais tellement jalouse que j'en ai presque oublié de remarquer que Conrad me tenait les jambes, alors que, si mes souvenirs étaient bons, il n'avait jamais effleuré mon genou même par accident.

— Allez, on joue, ai-je dit.

En percevant l'envie dans ma voix, je me suis détestée.

Conrad a eu moins de difficultés pour rejoindre le milieu de la piscine. J'étais même surprise de voir qu'il se déplaçait aussi facilement avec mon poids sur les épaules.

— Prêts ? a-t-il demandé à Jeremiah et Taylor, qui avaient enfin réussi à se stabiliser.

— Oui ! a crié Taylor.

Dans ma tête, j'ai lancé : *Tu vas boire la tasse, Bijou.*

— Oui ! ai-je dit.

Je me suis penchée en avant et je me suis servie de mes deux mains pour lui donner une poussée puissante. Elle a vacillé sur le côté, mais est restée sur les épaules de Jeremiah et a dit :

— Salut !

J'ai souri.

— Salut ! ai-je répondu avant de la bousculer encore.

Taylor a plissé les yeux et m'a rendu mon coup, mais pas suffisamment fort. Puis nous en sommes venues au corps à corps, sauf que c'était beaucoup plus facile cette fois, tant j'étais assurée sur les épaules de Conrad. Je l'ai repoussée, une fois, fermement, et elle est tombée, mais Jeremiah, lui, a tenu bon. J'ai applaudi. On s'amusait bien.

J'ai été surprise que Conrad me tende sa main pour que je tope là. Ce n'était pas son genre.

Lorsque Taylor est ressortie de l'eau, cette fois, elle ne riait plus. Ses cheveux blonds étaient plaqués sur son crâne.

– Ce jeu est nul. Ça ne m'amuse plus.

– Mauvaise perdante, ai-je lancé, alors que Conrad se baissait pour me laisser descendre.

– Joli travail, m'a-t-il dit en m'offrant l'un de ses rares sourires.

Avec ce sourire, j'avais l'impression d'avoir gagné au loto.

– Je suis une gagnante, ai-je répliqué.

Je savais que lui aussi.

Chapitre dix-sept

15 ans

Quelques jours après la séance de ciné, Jeremiah a annoncé :

— Je vais apprendre à conduire à Belly.

— Tu es sérieux ? ai-je demandé, emballée.

Il faisait beau, pour la première fois de la semaine. Le temps idéal pour prendre le volant. C'était le jour de congé de Jeremiah et je n'en revenais pas qu'il soit prêt à le consacrer à une leçon de conduite. Je le suppliais depuis l'été dernier de me montrer comment passer les vitesses — Steven s'y était essayé et avait déclaré forfait au bout de trois cours.

Mon frère a secoué la tête avant de boire directement au carton de jus d'orange.

— Tu as envie de mourir, mec ? Parce que Belly vous tuera tous les deux, sans parler de ton embrayage. Il est encore temps de reculer. C'est un conseil d'ami.

— La ferme, Steven ! ai-je crié en lui donnant un coup de pied sous la table. Ce n'est pas parce que tu es le pire des professeurs...

Steven avait refusé de remonter en voiture avec moi parce que j'avais très légèrement abîmé son aile en faisant un créneau.

– J'ai toute confiance en mes qualités pédagogiques, a déclaré Jeremiah. Quand j'en aurai fini avec elle, elle sera meilleure que toi.

– Bonne chance, a ricané Steven, avant de se renfrogner. Vous en avez pour combien de temps ? Je croyais qu'on devait aller au golf.

– Tu peux nous accompagner, ai-je proposé.

M'ignorant, Steven a lancé à Jeremiah :

– Tu as besoin de travailler ton swing, mon pote.

Je me suis tournée vers Jeremiah, qui m'a regardée en hésitant.

– Je serai de retour pour le déjeuner. On ira cet après-midi.

– Comme tu veux, a dit Steven en levant les yeux au ciel.

Il était contrarié et un peu vexé, ce qui, tout en me flattant, me faisait de la peine pour lui. Il n'était pas habitué à rester sur le carreau, contrairement à moi.

Nous sommes allés conduire sur la route tranquille qui menait à l'autre extrémité de la plage. Il n'y avait que nous. On a mis un CD de Jeremiah qui avait au moins un million d'années, *Nevermind*.

– Une fille qui conduit, c'est vraiment classe, m'a expliqué Jeremiah par-dessus la voix de Kurt Cobain. Ça prouve qu'elle a confiance en elle, qu'elle sait ce qu'elle fait.

J'ai enclenché la première et relevé progressivement mon pied de la pédale d'embrayage.

– Je croyais au contraire que les garçons aimaient quand les filles étaient faibles.

– Certains. Moi, je les préfère intelligentes et sûres d'elles.

– N'importe quoi. Taylor te plaisait et elle n'est pas du tout comme ça.

Il a grogné en sortant son bras par la vitre baissée.

– Tu es obligée de remettre cette histoire sur le tapis ?

– Je disais ça en l'air. Elle ne s'est pas montrée particulièrement intelligente ni sûre d'elle.

– Peut-être pas, mais elle savait ce qu'elle faisait ! a-t-il rétorqué avant d'éclater de rire.

Je lui ai donné une bourrade.

– T'es vraiment dégoûtant ! Et tu mens. Je sais que vous n'avez rien fait, tous les deux.

– D'accord, c'est vrai, a-t-il répondu en reprenant son sérieux. Mais elle embrassait bien. Elle avait un goût de Skittles.

Taylor adorait ces bonbons. Elle passait son temps à en croquer, comme s'il s'agissait de vitamines, comme si c'était bon pour la santé. Je me suis demandé si j'avais soutenu la comparaison avec Taylor, s'il avait trouvé que j'embrassais bien, moi aussi.

Je lui ai coulé un regard en coin et ma question devait se lire sur mon visage, parce qu'il a ajouté en éclatant de rire :

– Mais tu étais de loin la meilleure, Belly.

Je lui ai décoché un coup de poing dans le bras, mais il a continué à se marrer. De plus en plus fort, même.

– N'oublie pas l'embrayage, a-t-il dit en s'étouffant.

J'ai été surprise qu'il se rappelle cet épisode. Il était ancré dans ma mémoire, c'est vrai, mais c'était la première fois que j'embrassais un garçon, et pas n'importe lequel : Jeremiah. Il n'avait pas de raison particulière de s'en souvenir, lui ; du coup, je lui ai pardonné ses railleries.

– C'était mon premier baiser, tu sais, ai-je dit.

À cet instant précis, j'avais l'impression de pouvoir lui avouer n'importe quoi. J'avais l'impression que tout était redevenu comme avant entre nous, avant qu'on ne grandisse et que les choses ne deviennent compliquées. C'était simple et naturel.

Il a détourné le regard, gêné.

– Ouais, je sais.

– Comment ça ?

Est-ce que j'avais été maladroite à ce point ? Bonjour, l'humiliation !

– Euh... Taylor me l'a dit. Après.

– Quoi ? Je n'en reviens pas ! Quelle traîtresse !

J'ai failli arrêter la voiture. Pour être honnête, je n'étais pas si surprise. Mais le sentiment de trahison demeurait.

– Ce n'est vraiment pas grave, a-t-il repris (pourtant, il avait les joues rouges). La première fois que j'ai embrassé une fille, c'était une catastrophe. Elle n'a pas arrêté de me répéter que je m'y prenais mal.

– C'était qui ? C'était qui cette fille ?

– Tu ne la connais pas. Et on s'en fiche.

– Allez, raconte, ai-je insisté juste avant de caler.

– Appuie sur l'embrayage et repasse au point mort.

– Pas avant que tu n'aies craché le morceau...

– Très bien... Christie Turnduck, a-t-il avoué en baissant la tête.

– Tu as embrassé Christie ?

C'était à mon tour de me payer sa tête. Je la connaissais parfaitement, elle vivait à Cousins Beach à l'année et on la voyait l'été.

– Elle était dingue de moi, a-t-il répliqué en haussant les épaules.

– Tu l'as dit à Rad et à Steven ?

– T'es folle ? Je leur ai jamais raconté que j'avais embrassé Christie ! Et t'as pas intérêt à le faire ! Jure, a-t-il ajouté en me tendant son petit doigt.

J'ai entrelacé le mien avec le sien.

– Christie Turnduck... Elle embrassait bien, c'est elle qui m'a tout appris. Je me demande ce qu'elle est devenue...

J'étais curieuse de savoir si elle était plus douée que moi. Il y avait des chances, puisqu'elle avait été la prof de Jeremiah.

J'ai calé une nouvelle fois.

– Je suis nulle, j'abandonne.

– Hors de question ! Allez...

En soupirant, j'ai fait redémarrer la voiture. Deux heures plus tard, je me débrouillais. À peu près. Je calais encore de temps à autre, mais j'étais sur la bonne voie. Je savais conduire. Et Jeremiah a même ajouté que j'étais forte.

Nous ne sommes rentrés à la maison qu'à quatre heures passées, Steven était déjà parti. Il avait dû se lasser d'attendre et s'était rendu seul au practice. Ma mère et Susannah regardaient des vieux films dans la chambre de Susannah. Elles avaient tiré les rideaux et la pièce était plongée dans l'obscurité.

Je suis restée postée près de leur porte une longue minute à écouter leurs éclats de rire. Ils me donnaient le sentiment d'être exclue. J'enviais leur relation, elles formaient un duo parfait, comme un pilote et un copilote. Je n'avais jamais eu d'amitié comparable, le genre qui dure toute la vie, peu importe les épreuves qu'on traverse.

J'ai fini par entrer dans la chambre et Susannah s'est écriée :

– Belly ! Viens avec nous !

Je me suis installée entre elles deux sur le lit. Je me sentais bien, allongée dans la pénombre, j'avais l'impression d'être dans une grotte.

– Jeremiah m'a appris à conduire.

– C'est gentil, a dit Susannah en souriant.

– Et courageux, a ajouté ma mère en me pinçant le nez.

Je me suis faufilée sous le couvre-lit. Jeremiah était vraiment chouette. C'est vrai que c'était adorable de m'emmener conduire quand personne ne voulait s'y coller. Ce n'était pas parce que j'avais éraflé la voiture une ou deux fois que je ne finirais pas par être une excellente conductrice. Grâce à lui, je maîtrisais la boîte de vitesses maintenant. J'allais devenir une fille sûre d'elle, qui sait ce qu'elle fait. Dès que j'aurais mon permis, je prendrais la voiture, j'irais jusque chez Susannah et j'emmènerais Jeremiah en balade, pour le remercier.

Chapitre dix-huit

13 ans

Après avoir pris sa douche, Taylor s'est mise à farfouiller dans son sac de voyage. Je me suis allongée sur mon lit pour l'observer. Elle a sorti trois robes à bretelles – une blanche à œillets, une à fleurs hawaïennes et une en lin noir.

– Tu choisirais laquelle pour ce soir ? m'a-t-elle demandé.

Sa question ressemblait à un test et j'en avais assez d'avoir à faire mes preuves en permanence.

– C'est juste pour dîner, Taylor, on n'a rien prévu de spécial.

Elle a secoué la tête et la serviette enroulée autour de son crâne s'est balancée d'avant en arrière.

– On va sur la promenade après le repas, tu as oublié ? Il faut qu'on soit belles, il y aura sans doute des garçons. Laisse-moi décider de ta tenue pour toi.

Avant, quand Taylor m'habillait, j'avais l'impression d'être la ringarde de service qu'elle transformait en princesse pour le bal de promo – au bon sens du terme. Maintenant, c'était comme si j'étais devenue une vieille mal fagotée.

Je n'avais aucune robe. Pour être honnête, je n'en avais jamais emporté en vacances. Ça ne m'avait même pas effleuré l'esprit. Je n'en avais que deux à la maison – celle que ma grand-mère m'avait offerte à Pâques et celle que j'avais été obligée d'acheter à la fin de la quatrième. Ces derniers temps, rien ne m'allait de toute façon. Soit les vêtements bâillaient à l'entrejambe, soit ils étaient trop serrés à la taille. Je ne m'étais jamais vraiment penchée sur le problème, mais, en voyant toutes ses robes étalées sur le lit, j'ai ressenti une pointe de jalousie.

– Il est hors de question que je me mette sur mon trente et un pour aller sur la promenade, ai-je rétorqué.

– Laisse-moi juste regarder ce que tu as, a-t-elle insisté en se dirigeant vers la penderie.

– Taylor, je t'ai dit non ! Je reste comme ça, ai-je répliqué en indiquant mon short coupé et mon tee-shirt de Cousins Beach.

Elle a fait une grimace mais a battu en retraite pour retourner vers ses trois robes.

– Très bien, comme tu veux, Miss Scrogneugneu. Bon, alors, laquelle d'après toi ?

– La noire, ai-je soupiré en fermant les yeux. Dépêche-toi maintenant.

Ce soir-là, au dîner, il y avait des coquilles Saint-Jacques aux asperges. Lorsque ma mère préparait le repas, on mangeait toujours du poisson ou des crustacés au citron et à l'huile d'olive avec des légumes. C'était systématique. Susannah se mettait en cuisine plus rarement, si bien qu'à l'exception de la fameuse soupe de poissons du premier soir, c'était toujours la surprise. Elle était capable de passer l'après-midi aux fourneaux pour confectionner un plat que je n'avais jamais goûté, un poulet à la marocaine aux figues par exemple. Elle sortait son carnet de recettes aux pages tachées et aux marges annotées, celui dont ma mère se moquait. À moins qu'elle n'opte pour des omelettes au fromage avec du ketchup et des toasts. Les enfants étaient en charge du dîner une fois par semaine et le repas consistait généralement en hamburgers ou en pizzas surgelées. Mais la plupart du temps, on mangeait ce qu'on voulait, à l'heure qu'on voulait. C'était une des choses que j'adorais dans les vacances. Le reste de l'année, on dînait à six heures trente, c'était réglé comme du papier à musique. Ici, les horaires étaient plus souples, on était décontractés, même ma mère.

Taylor s'est penchée vers elle pour lui demander :

– Laurel, quelle est la chose la plus folle que vous ayez faite avec Susannah quand vous aviez notre âge ?

Taylor s'adressait toujours aux gens sur le ton de la confidence, toujours. Aux adultes, aux garçons, à la dame de la cantine... À tout le monde.

Ma mère et Susannah ont échangé un regard en souriant. Elles connaissaient la réponse mais l'ont gardée pour elles. Ma mère s'est essuyé la bouche avec sa serviette avant de dire :

— Une nuit, nous nous sommes introduites en douce sur le terrain de golf et nous avons planté des pâquerettes.

Je savais que ce n'était pas la vérité, mais Steven et Jeremiah se sont esclaffés. Steven a décrété avec son insupportable air de Monsieur Je-sais-tout :

— Vous étiez déjà ennuyeuses à l'époque.

— Moi, je trouve ça adorable, a minaudé Taylor en faisant couler une généreuse quantité de ketchup dans son assiette.

Taylor en mettait sur tous les aliments – œufs, pizzas, pâtes, tout.

Alors que je croyais qu'il ne suivait pas la conversation, Conrad a rétorqué :

— Vous mentez. Ce n'est absolument pas la chose la plus folle que vous ayez faite.

Susannah a levé les mains en signe de capitulation.

— Les mamans aussi ont le droit d'avoir leurs secrets. Je ne vous demande pas de me dire les vôtres, les garçons, si ?

— Bien sûr que si, a rétorqué Jeremiah en pointant sa fourchette dans sa direction. Tu nous poses sans arrêt des questions. Si j'avais un journal intime, tu le lirais.

— Pas du tout ! s'est-elle indignée.

— Si, il a raison, est intervenue ma mère.

Susannah l'a fusillée du regard.

— Jamais de la vie !

Puis elle s'est tournée vers Conrad et Jeremiah, qui étaient côte à côte, pour ajouter :

— D'accord, c'est possible, mais seulement celui de Conrad. Il est si doué pour le mystère, je ne sais jamais ce qu'il pense. Mais pas toi, Jeremiah. Je peux lire en toi comme dans un livre ouvert, mon bébé.

— C'est faux, a-t-il protesté en plantant rageusement sa fourchette dans une coquille Saint-Jacques. J'ai des secrets aussi.

Taylor a choisi ce moment-là pour dire, d'une voix enjôleuse :

— Bien sûr que tu en as, Jeremy.

Il lui a souri et j'ai failli avaler mon asperge de travers.

— Taylor et moi, on va sur la promenade, ce soir, ai-je aussitôt lâché. Est-ce que l'un de vous pourrait nous déposer ?

Sans laisser le temps à Susannah ou à ma mère de répondre, Jeremiah a lancé :

— Excellente idée ! On devrait venir avec vous ! Vous n'êtes pas d'accord, les gars ?

Normalement, j'aurais été aux anges de voir que l'un d'entre eux souhaitait m'accompagner quelque part, mais pas ce soir-là. Ce n'était pas à cause de moi qu'ils voulaient se joindre à nous.

J'ai jeté un coup d'œil à Taylor, soudain très concentrée sur ses coquilles Saint-Jacques qu'elle coupait en minuscules morceaux. Elle avait très bien compris qu'il souhaitait venir à cause d'elle.

— Ça me dit rien, a répondu Steven.

— Moi non plus, a complété Conrad.

— Qui vous a invités de toute façon ? ai-je rétorqué.

Steven a eu une moue exaspérée.

– Personne n'a besoin d'inviter personne. La promenade est à tout le monde, on vit dans un pays libre.

– Vraiment ? a demandé ma mère. Je voudrais que tu réfléchisses à ce que tu viens de dire, Steven. Que penses-tu de nos droits civils ? Sommes-nous réellement libres si...

– Laurel, je t'en prie, l'a interrompue Susannah en secouant la tête. Pas de politique au dîner.

– Je ne connais pas de meilleur moment pour discuter politique, a rétorqué calmement ma mère.

Comme elle se tournait alors vers moi, je lui ai silencieusement demandé d'arrêter. Elle a soupiré. Il valait mieux la stopper dans son élan.

– Entendu, très bien. Très bien. Pas de politique. J'avais l'intention d'aller à la librairie en centre-ville, je vous déposerai en route.

– Merci, maman, ai-je répondu. Il n'y aura que Taylor et moi.

Sans prêter attention à ce que je venais de dire, Jeremiah s'est acharné à convaincre Steven et Conrad :

– Allez, les gars, ça va être dément.

Taylor avait passé la journée à répéter que tout était « dément ».

– D'accord, mais j'irai au centre commercial, a fini par céder Steven.

– Rad ? a demandé Jeremiah à son frère, qui a secoué la tête.

– Allez, Rad, a ajouté Taylor en lui donnant un coup de fourchette taquin, viens avec nous.

Il s'est entêté dans son refus et Taylor a fait une grimace.

– Comme tu veux. Mais tu peux être sûr qu'on va bien s'amuser sans toi.

– Ne t'inquiète pas pour lui, a répliqué Jeremiah, il va s'éclater, il a l'encyclopédie Universalis pour lui tenir compagnie.

Conrad n'a pas réagi, mais Taylor a gloussé en replaçant une mèche derrière son oreille. Je me suis alors rendu compte qu'elle avait jeté son dévolu sur Jeremiah finalement.

– Ne partez pas sans un petit billet pour acheter des glaces, a dit Susannah.

Elle était heureuse de nous voir passer du temps ensemble – à l'exception de Conrad, qui restait dans son coin cet été-là. Susannah n'aimait rien tant que nous inventer des activités communes. À mon avis, elle aurait fait une super directrice de colo.

Dans la voiture, en attendant que ma mère et les garçons nous rejoignent, j'ai chuchoté :

– Je croyais que tu préférais Conrad.

– Nan, a-t-elle répondu en levant les yeux au ciel, il est trop rasoir. J'aime mieux Jeremy.

– Il s'appelle Jeremiah, ai-je dit sèchement.

– Je sais bien... a-t-elle rétorqué avant de me dévisager. Pourquoi ? C'est lui qui te plaît maintenant ?

— Non !

Elle a soupiré d'exaspération.

— Tu dois te décider, Belly, tu ne peux pas avoir les deux.

— Bien sûr que non. Pour ta gouverne, je n'en veux aucun. De toute façon, ils ne me voient pas comme ça. Ils sont comme Steven, ils me considèrent comme une petite sœur.

— Peut-être que si tu montrais un peu plus de ça... a-t-elle rétorqué en tirant sur l'encolure de mon tee-shirt.

J'ai écarté sa main.

— Laisse-moi tranquille ! Et je t'ai dit qu'aucun des deux ne me plaisait. C'est terminé.

— Alors ça t'est égal si je m'intéresse à Jeremy ?

Je savais qu'elle posait uniquement la question pour se débarrasser d'une éventuelle culpabilité future. Même si ce n'était pas un sentiment auquel elle était habituée. J'ai donc répondu :

— Si je te disais que ça ne m'était pas égal, tu ne le ferais pas ?

Elle a réfléchi environ une seconde.

— Probablement. Si ça t'embêtait vraiment, vraiment. Mais alors je m'attaquerais à Conrad. Je suis ici pour m'amuser, Belly.

J'ai poussé un soupir. Elle avait le mérite d'être honnête. Je lui aurais bien rétorqué : « Je croyais que tu étais ici pour t'amuser avec moi », mais je me suis abstenue.

— Vas-y, ai-je fini par dire. Je m'en fiche.

Taylor a haussé les sourcils plusieurs fois de suite. Je ne l'avais pas vue le faire depuis longtemps.

– Génial, alors, c'est parti !

– Attends ! ai-je lancé en lui prenant le poignet. Promets-moi d'être sympa avec lui.

– Bien sûr que je serai sympa. Je suis toujours sympa !

Elle m'a tapoté l'épaule avant d'ajouter :

– Arrête de t'inquiéter, Belly. Je te l'ai dit. Je veux juste m'amuser.

Ma mère et les garçons nous ont rejointes à ce moment-là. Pour la première fois, ils ne se sont pas battus pour la place de devant : Jeremiah n'a fait aucune difficulté pour la céder à Steven.

Lorsque nous sommes arrivés sur les planches, mon frère a aussitôt filé à la galerie marchande, où il a passé toute la soirée. Jeremiah s'est baladé avec nous et il nous a même accompagnées sur le manège, alors que je savais qu'il trouvait ça nul. Il s'est allongé dans un traîneau, en faisant semblant de piquer un somme, alors que Taylor et moi nous montions et descendions sur nos chevaux, un palomino doré pour moi et un étalon noir pour elle. (*Black Beauty* restait son livre préféré, même si elle ne l'aurait avoué pour rien au monde.) Ensuite, Taylor lui a demandé de remporter un Titi en peluche au chamboule tout. Jeremiah était un pro. Il a décroché une peluche presque aussi grande qu'elle. Et il la lui a portée.

Je n'aurais jamais dû accepter. J'aurais dû prévoir le déroulement de la soirée, j'aurais dû savoir qu'ils allaient me donner le sentiment d'être invisible. Tout du long, j'ai regretté de ne pas être à la maison, pour écouter Conrad jouer de la guitare à travers le mur de ma chambre ou regarder des Woody Allen avec Susannah et ma mère. Et je ne suis même pas fan des films de Woody Allen. Je me suis demandé si ça allait être comme ça toute la semaine. J'avais oublié que Taylor était prête à n'importe quoi pour parvenir à ses fins – elle devenait obsessionnelle et monomaniaque. Elle n'était pas là depuis longtemps, et pourtant elle avait déjà oublié mon existence.

Chapitre dix-neuf

15 ans

À peine arrivé, Steven devait préparer son départ. Il allait faire le tour des universités avec notre père et ensuite, au lieu de revenir à Cousins, il rentrerait à la maison. Prétendument pour réviser, mais, plus vraisemblablement, pour voir sa nouvelle copine.

Je suis allée le trouver dans sa chambre pendant qu'il bouclait son sac. Il n'avait pas emporté grand-chose. Son départ me rendait triste, subitement. Sans lui, l'équilibre serait rompu – il jouait le rôle de tampon, il nous rappelait que rien ne changeait vraiment, que tout pouvait rester pareil. Parce que lui ne changeait jamais. Il restait le grand frère odieux et insupportable, qui avait pour but de me pourrir l'existence. Il était comme cette vieille couverture qui sentait le chien mouillé, mais qui, malgré son odeur, était si rassurante que je ne pouvais pas imaginer ma vie sans elle. Tant que Steven était là, l'équilibre serait toujours le même, trois contre une, les garçons contre la fille.

– Je n'ai pas envie que tu partes, ai-je dit en serrant mes genoux contre ma poitrine.

– On se verra dans un mois.

– Un mois et demi, ai-je rectifié en me renfrognant. Tu vas rater mon anniversaire, en plus.

– Je te ferai un cadeau quand on se retrouvera.

– C'est pas pareil.

Je savais bien que je me conduisais comme un bébé, mais je ne réussissais pas à me contrôler.

– Tu m'écriras une carte postale, au moins ?

– Ça m'étonnerait que j'aie le temps, a-t-il répondu en tirant la fermeture Éclair de son sac de voyage. Mais je t'enverrai un texto.

– Tu me rapporteras un sweat-shirt de Princeton ?

Je rêvais d'en avoir un. Je trouvais que c'était un symbole de maturité, une façon de dire qu'on avait presque l'âge d'entrer à la fac. J'aurais aimé avoir un tiroir rempli de vêtements de différentes universités.

– Si j'y pense.

– Je te le rappellerai. Je t'enverrai un texto.

– D'accord. Ce sera ton cadeau d'anniversaire.

– Marché conclu.

Je me suis allongée sur son lit, puis j'ai appuyé mes pieds contre le mur. Il détestait quand je le faisais.

– Tu vas sans doute me manquer un peu, ai-je dit.

– Tu seras trop occupée à baver sur Conrad pour ça, a rétorqué Steven.

Je lui ai tiré la langue.

Steven est parti très tôt le lendemain matin. Conrad et Jeremiah l'emmenaient à l'aéroport. Je suis descendue lui dire au revoir, mais je n'ai pas demandé à les accompagner, parce que je savais qu'il ne le souhaitait pas. Il voulait passer un moment seul avec eux, et pour une fois je n'allais pas essayer de l'en empêcher.

Après m'avoir serrée dans ses bras, il m'a gratifiée de ce regard condescendant dont il a le secret – les yeux tristes, un demi-sourire aux lèvres – puis il a lancé :

– Ne fais pas de bêtise, promis ?

Il avait l'air de penser sincèrement ce qu'il disait, de vouloir me communiquer un message important.

Mais je ne l'ai pas compris.

– Toi non plus, andouille, ai-je rétorqué.

Il a soupiré en secouant la tête comme si j'étais une gamine.

J'ai décidé de ne pas réagir. Après tout, il s'en allait et rien ne serait plus pareil. Le moins que je pouvais faire, c'était le laisser partir sans le chicaner.

– Dis bonjour à papa de ma part, ai-je dit.

Je ne suis pas retournée me coucher tout de suite. Je suis sortie sur la véranda un moment ; je me sentais un peu déprimée et j'avais envie de pleurer – même si je ne l'aurais jamais avoué à Steven.

Pour un tas de raisons, c'était le dernier été. À l'automne, Conrad entrerait à la fac. Il avait été accepté à Brown. Il n'était pas sûr de revenir l'été suivant. Il aurait peut-être un stage, une école d'été ou un voyage en Europe sac au dos avec ses nouveaux potes. Quant à Jeremiah, il s'inscrirait peut-être enfin à la colonie de foot dont il nous rebattait sans arrêt les oreilles. Beaucoup de choses risquaient de se produire en un an. Je me suis soudain rendu compte qu'il fallait que je profite au maximum de cet été, qu'il fallait que je le rende inoubliable, pour le cas où il n'y en aurait pas d'autre. Après tout, j'aurais bientôt seize ans. Je grandissais, moi aussi. Les choses ne pouvaient pas rester indéfiniment les mêmes.

Chapitre vingt

11 ans

Nous étions tous les quatre assis sur une grande serviette, sur la plage. Conrad, Steven, Jeremiah et moi à l'extrémité. C'était ma place, lorsqu'ils m'autorisaient à venir. Et c'était l'une de ces rares fois.

Le soleil était au zénith et il chauffait tellement que j'avais l'impression d'avoir les cheveux en feu. Ils jouaient aux cartes et moi, je les regardais.

— Vous préféreriez être plongés dans de l'huile d'olive bouillante ou dépecés vifs avec un couteau de boucher chauffé à blanc ? a demandé Jeremiah.

— Plongé dans l'huile d'olive, a répondu Conrad sans hésiter. La mort est plus rapide.

— Huile d'olive, ai-je répété.

— Le couteau de boucher, a dit Steven. J'ai plus de chances d'inverser les rôles et de dépecer le type en face de moi.

— Ça ne fait pas partie des options, lui a rétorqué Conrad. Il s'agit de choisir entre deux façons de mourir, nulle part il n'est question d'inverser les rôles avec le bourreau.

— Bon, d'accord. L'huile d'olive, alors, a concédé Steven en ronchonnant. Et toi, Jeremiah ?

— L'huile aussi. À ton tour, Rad.

Conrad a plissé les paupières, les yeux tournés vers le soleil, avant de demander :

— Vous préféreriez vivre une seule journée parfaite en boucle jusqu'à la fin de votre existence ou plusieurs journées potables mais différentes ?

Jeremiah est resté silencieux pendant une minute. Il adorait ce jeu. Il adorait réfléchir à l'alternative.

— Est-ce qu'on aurait conscience de revivre cette journée parfaite comme dans *Un jour sans fin* ?

— Non.

— Alors je choisis cette option, a-t-il répondu.

— Eh bien, si la journée parfaite comprend... a commencé mon frère avant de s'interrompre en me jetant un regard appuyé, ce que je détestais. J'opte aussi pour ça.

— Belly ? a demandé Conrad en se tournant vers moi. Tu préférerais quoi ?

J'essayais de trouver la bonne réponse, mais mon esprit tournait en rond.

— Mmm... La vie avec des journées potables. Comme ça, je pourrais rêver d'un jour parfait. Je ne voudrais pas d'une vie qui ne serait faite que d'une seule journée en boucle.

— Ouais, mais tu ne le saurais pas, a répliqué Jeremiah.

J'ai haussé les épaules.

— Peut-être que je le sentirais, au fond de moi.

– C'est débile, a lâché Steven.

– Pas du tout. Je suis d'accord avec elle, a dit Conrad en me lançant le genre de regard que les soldats doivent échanger avant d'unir leurs forces contre un ennemi commun.

Un regard exprimant un soutien infaillible. J'ai fait bisquer Steven. Je n'ai pas pu m'en empêcher.

– Tu vois ? Conrad est de mon avis.

Il m'a imitée :

– Conrad est de mon avis. Conrad est amoureux de moi. Conrad est génial...

– La ferme, Steven ! ai-je hurlé.

Il a souri avant de demander :

– À mon tour. Belly, tu préférerais manger de la mayonnaise tous les jours ou rester plate comme une limande le restant de ta vie ?

J'ai attrapé une poignée de sable pour la lui jeter au visage. Comme il était en train de rire à gorge déployée, une partie a atterri dans sa bouche.

– Tu es morte, Belly ! a-t-il crié en se jetant sur moi.

J'ai roulé sur le côté pour lui échapper.

– Laisse-moi tranquille, ai-je lancé d'un air de défi. Tu n'as pas intérêt à me faire mal ou je le dis à maman.

– Tu es vraiment pénible, a-t-il craché en m'attrapant la jambe. Je vais te balancer à l'eau.

J'ai essayé de me libérer, mais je n'ai réussi qu'à lui envoyer davantage de sable au visage. Ce qui n'a contribué qu'à accroître sa fureur, bien sûr.

— Lâche-la, Steven, est intervenu Conrad. Viens te baigner !

— Ouais, on va se baigner, a ajouté Jeremiah.

Steven a hésité.

— Très bien, a-t-il dit en continuant à cracher du sable. Mais je n'en ai pas fini avec toi, Belly, a-t-il conclu en pointant son index vers moi avant de le passer en travers de sa gorge comme une lame.

Je lui ai fait un doigt d'honneur en me redressant. J'étais toute tremblante. Conrad m'avait défendue. Conrad ne voulait pas qu'il m'arrive du mal.

Steven m'en a voulu jusqu'à la fin de la journée, mais ça en valait la peine. Surtout qu'il y avait une certaine ironie à ce qu'il se moque de mon absence de poitrine : deux étés plus tard, je portais un soutien-gorge et pas pour me la raconter.

Chapitre vingt et un

15 ans

La nuit du départ de Steven, je suis descendue pour prendre un bain de minuit ; Conrad, Jeremiah et un voisin, Clay Bertolet, étaient installés sur les chaises longues et buvaient de la bière. Clay habitait beaucoup plus bas dans la rue et il venait à Cousins Beach depuis presque aussi longtemps que nous. Il avait un an de plus que Conrad. Personne ne l'avait jamais réellement apprécié. Mais ça ne devait pas les déranger de traîner avec lui de temps à autre.

Je me suis immédiatement raidie en resserrant ma serviette de plage autour de ma poitrine et j'ai hésité à rebrousser chemin. Clay m'avait toujours mise mal à l'aise. Je n'étais pas obligée de me baigner ce soir-là, je pouvais très bien revenir le lendemain. Mais, après tout, j'avais autant le droit qu'eux d'être là. Davantage, même.

Je les ai rejoints, l'air faussement assuré.

– Salut, les gars !

Je n'ai pas enlevé ma serviette. J'étais gênée d'être en deux-pièces alors qu'ils étaient habillés. Clay m'a examinée, les yeux mi-clos.

— Hé, Belly ! Ça fait un bail. Assieds-toi, a-t-il ajouté en tapotant la chaise à côté de lui.

Je détestais les gens qui disaient « ça fait un bail », je trouvais cette expression complètement débile. Je me suis quand même assise. Il s'est penché pour me serrer dans ses bras. Il sentait la bière et le parfum.

— Alors, qu'est-ce que tu deviens ?

Sans me laisser le temps de répondre, Conrad a dit :

— Elle est en pleine forme, mais maintenant c'est l'heure d'aller au lit. Bonne nuit, Belly.

J'ai répliqué en contrôlant ma voix pour ne pas donner l'impression d'avoir cinq ans :

— Je ne vais pas me coucher tout de suite, je compte nager avant.

— Tu devrais rentrer, est intervenu Jeremiah en posant sa bière. Ta mère te tuera si elle apprend que tu as bu.

— T'es aveugle, ou quoi ? Tu me vois boire quelque chose ?

Clay m'a tendu sa Corona.

— Tiens, a-t-il dit avec un clin d'œil.

Il avait l'air soûl. J'ai hésité et Conrad a lâché sèchement :

— Ne lui donne pas ça ! C'est une gamine, bon sang !

Je l'ai fusillé du regard.

— Arrête de te prendre pour Steven.

L'espace d'une seconde ou deux, j'ai envisagé d'accepter la bière de Clay. Ça aurait été ma première. Mais je ne l'aurais fait que pour énerver Conrad et je refusais de me laisser influencer.

– Non, merci, lui ai-je dit.

Conrad a hoché la tête presque imperceptiblement.

– Maintenant, retourne te coucher comme une gentille fille.

J'avais l'impression de revivre les fois où Steven, Jeremiah et lui m'excluaient de leurs jeux. Les joues brûlantes, j'ai riposté :

– Je n'ai que deux ans de moins que toi.

– Deux ans et quart, a-t-il lâché automatiquement.

Clay a éclaté de rire et son haleine alcoolisée m'a assaillie.

– La vache, ma copine avait quinze ans, a-t-il dit avant d'ajouter en se tournant vers moi : mon ex-copine.

Je lui ai fait un pauvre sourire. Au fond de moi, je ne rêvais que de les fuir, lui et son haleine. Mais Conrad avait une façon de nous regarder qui, je l'avoue, me plaisait. J'étais contente de lui piquer son copain, même pour cinq minutes.

– C'est pas illégal ? lui ai-je demandé.

Il s'est encore marré.

– Tu es mignonne, Belly.

Je me suis sentie rougir.

– Alors... euh... pourquoi vous avez rompu ?

Comme si la réponse ne sautait pas aux yeux... Ils s'étaient séparés parce que Clay était un naze, tout simplement ! Il l'avait toujours été. Quand il était plus jeune, il filait de l'Alka-Seltzer aux mouettes parce qu'il avait entendu dire que ça leur faisait exploser l'estomac.

– Aucune idée, a dit Clay en se grattant la nuque. Elle est partie en colo de cheval ou un truc dans le genre. Les relations à distance, c'est pourri.

– Mais c'est seulement pour l'été. C'est débile de se séparer à cause des vacances !

J'entretenais mes sentiments pour Conrad à longueur d'année scolaire. Ils réussissaient à me nourrir pendant des mois, voire des années. Ils me maintenaient en vie. Si Conrad était à moi, jamais je ne le quitterais à cause d'une séparation de quelques mois – ni même d'une année entière d'ailleurs.

Clay m'a considérée de ses yeux endormis et m'a demandé :

– Tu as un copain ?

– Oui.

Je n'ai pas pu m'en empêcher. Et j'ai regardé Conrad en répondant, d'un air de dire : « Tu vois, je ne suis plus la gamine de douze ans énamourée. J'ai une vie. » Et un copain. Quelle importance si c'était faux ? J'ai vu une ombre passer dans les yeux de Conrad, mais son visage est resté impassible. Celui de Jeremiah, en revanche, a marqué la surprise.

– Tu as un copain, Belly ? a-t-il lancé en fronçant les sourcils. Tu n'en as jamais parlé.

– Ce n'est pas vraiment sérieux.

J'ai tiré sur un fil qui dépassait du coussin. Je regrettais déjà mon mensonge.

– En fait, on a décidé de pas se prendre la tête.

– Tu vois ? Quel est l'intérêt de maintenir une relation pendant l'été ? Et si tu rencontres d'autres personnes ? Ce soir par exemple... a-t-il ajouté avec un clin d'œil outré.

– On s'est déjà rencontrés, Clay. Il y a environ dix ans.

Évidemment, je ne l'avais pas vraiment intéressé à l'époque. Il a appuyé son genou contre le mien.

– Enchanté de faire ta connaissance. Je m'appelle Clay.

J'ai ri, alors que ce n'était pas drôle du tout, mais j'avais le sentiment que c'était la réaction à adopter.

– Salut, je m'appelle Belly.

– Dis-moi, Belly, est-ce tu comptes venir à ma soirée demain ?

– Mmmm... pourquoi pas, ai-je répondu en m'efforçant de contenir mon excitation.

Conrad, Jeremiah et Steven passaient toujours le 4 Juillet chez Clay. C'était lui qui organisait une fête, parce qu'on voyait parfaitement les feux d'artifice depuis son bout de plage. Il y avait toujours un feu de camp et sa mère prévoyait des s'mores[1]. Une fois, j'avais demandé à Jeremiah de m'en rapporter un et il l'avait fait. Il était caoutchouteux et brûlé, mais je l'avais mangé malgré tout, c'était un petit morceau de la fête. J'en avais été très

1. En-cas sucré très populaire aux États-Unis composé de marshmallows grillés et d'un morceau de chocolat pris en sandwich entre deux biscuits, que l'on peut faire griller dans un feu de camp.

reconnaissante à Jeremiah. Les garçons ne m'avaient jamais laissée les accompagner et je n'avais jamais essayé de leur forcer la main. Je regardais les feux d'artifice depuis la véranda, en pyjama, avec Susannah et ma mère. Elles buvaient du champagne et moi du soda.

— Je croyais que tu étais descendue pour nager, m'a lancé Conrad d'un ton cassant.

— Mince, lâche-la, Rad, est intervenu Jeremiah. Elle se baignera si elle en a envie.

On a échangé un regard, lui et moi. Pourquoi Conrad jouait-il les rabat-joie ? Il a écrasé sa cigarette dans sa canette à moitié vide.

— Fais comme tu veux, m'a-t-il dit.

— C'est bien mon intention, ai-je répliqué en lui tirant la langue et en me levant.

Je me suis débarrassée de ma serviette et j'ai plongé dans un mouvement parfait. Je suis restée sous l'eau environ une minute, puis je me suis mise sur le dos pour entendre leur conversation.

À voix basse, Clay a lancé :

— Mec, Cousins commence à sentir le renfermé. J'ai hâte de rentrer.

— Ouais, moi aussi, a acquiescé Conrad.

Il en avait assez, alors ? J'avais beau m'en douter, ça m'a fait de la peine. J'avais envie de lui dire : « Eh bien va-t'en ! Si tu ne veux pas être ici, ne reste pas. Disparais. » Mais je refusais de me laisser atteindre par Conrad, pas quand les choses finissaient par s'arranger. Pour la première fois, j'étais invitée à la fête du 4 Juillet de Clay

Bertolet. Je comptais parmi les grands désormais. La vie était chouette. Ou elle allait le devenir, en tout cas.

J'ai réfléchi à ma tenue toute la journée. N'ayant jamais mis les pieds à cette fête avant, je ne savais pas comment m'habiller. Il ferait sans doute frais, mais qui avait envie de se couvrir pour une soirée sur la plage ? Je ne voulais pas non plus me mettre sur mon trente et un, de peur que Conrad et Jeremiah ne se payent ma tête. J'ai donc opté pour un short et un débardeur, et je suis restée pieds nus.

Dès que nous sommes arrivés, je me suis rendu compte que j'étais complètement à côté de la plaque. Les autres filles portaient des robes ou des petites jupes avec des Uggs. Si j'avais eu des copines à Cousins, elles m'auraient prévenue.

– Tu ne m'as pas dit qu'il fallait s'habiller ! ai-je lancé à Jeremiah.

– Tu es très bien comme ça, ne sois pas bête, a-t-il répliqué en fonçant au tonneau de bière.

Oui, un tonneau. Je n'en avais jamais vu, à part dans les films. J'ai emboîté le pas à Jeremiah, mais Conrad m'a retenue par le bras.

– Ne bois pas, ce soir, m'a-t-il mise en garde. Ma mère me tuera si je te laisse faire.

– Je suis assez grande pour décider, ai-je rétorqué en me libérant de son étreinte.

– Allez, Belly, s'il te plaît...

– On verra, ai-je répliqué en me dirigeant vers le feu de camp.

Je n'étais même pas sûre d'avoir envie de boire. J'étais surtout déçue de ne pas voir de marshmallows.

Être invitée à cette soirée était une excellente chose en théorie ; en pratique, c'était une autre affaire. Jeremiah baratinait une fille qui portait un haut de maillot de bain bleu, blanc, rouge et une jupe en jean, alors que Conrad discutait avec Clay et d'autres garçons que je ne connaissais pas. J'avais pensé qu'après m'avoir draguée la veille, il viendrait au moins me dire bonjour, mais je m'étais mis le doigt dans l'œil. Il avait la main posée sur le dos d'une fille.

Je suis restée plantée près du feu, en faisant semblant de me réchauffer les mains alors que je n'avais pas du tout froid. Et puis je l'ai aperçu. Il était seul, lui aussi, et il buvait une bouteille d'eau. Il ne devait pas connaître plus de monde que moi. Il avait l'air d'avoir mon âge. Il dégageait quelque chose de rassurant, un peu comme s'il était plus jeune que moi alors que ce n'était pas le cas. Il m'a fallu plusieurs coups d'œil pour comprendre à quoi cela tenait.

C'étaient ses cils. Ils étaient si longs qu'ils lui descendaient presque jusqu'aux pommettes. Celles-ci étaient hautes, mais ça restait impressionnant. Il était légèrement prognathe et sa peau claire et lisse était de la couleur des copeaux de noix de coco grillés dont on saupoudre les glaces. J'ai vérifié que le soleil avait bien fait sécher le bouton qui était apparu sur ma joue deux jours plus tôt. Son teint à lui était parfait. De façon générale, il donnait l'impression d'être parfait.

Il était grand, plus grand que Steven ou Jeremiah, peut-être même que Conrad. Il avait l'air d'être métisse, moitié blanc, moitié japonais, ou coréen peut-être. Il était si beau que j'aurais bien dessiné son visage, alors que je ne savais pas tenir un crayon.

Il m'a surprise en train de l'observer et j'ai détourné les yeux. J'ai attendu un peu avant de regarder de nouveau dans sa direction et il m'a encore une fois prise sur le fait. Il a levé la main pour m'adresser un petit signe discret.

J'ai piqué un fard. J'étais obligée d'aller le saluer, maintenant. Je me suis approchée de lui et je lui ai tendu la main, regrettant aussitôt mon geste. On ne serre pas la main d'un type à une soirée !

Il m'a donné une poignée de main. Il n'a rien dit pendant un moment, se contentant de me dévisager comme s'il essayait de saisir quelque chose.

– On s'est déjà vus quelque part, non ? a-t-il fini par lâcher.

J'ai réprimé un sourire. Est-ce que ce n'était pas la réplique classique des mecs qui abordaient les filles dans les bars ? Je me suis demandé s'il m'avait aperçue sur la plage dans mon nouveau deux-pièces à pois. Je n'avais osé le porter qu'une seule fois, mais ça pouvait avoir suffi à retenir son attention.

– Tu m'as peut-être vue sur la plage ?

– Non... a-t-il répondu en secouant la tête. Pas la plage.

Rien à voir avec le maillot, alors. J'ai essayé autre chose :

– Chez Scoops ? Le marchand de glaces ?

— Non plus...

Soudain, il a eu une illumination et un sourire est apparu sur ses lèvres.

— Tu fais du latin ?

Quoi ?

— Euh... oui.

— Est-ce que tu as déjà participé au congrès de latin de la NJCL[1] à Washington ?

— Oui.

Mais c'était qui, ce type ? Il a opiné, apparemment satisfait.

— Moi aussi. En quatrième, c'est ça ?

— Ouais...

En quatrième, je portais un appareil dentaire et j'avais encore mes lunettes. Je détestais l'idée qu'il m'ait connue à cette époque. Pourquoi ne m'avait-il pas découverte sur la plage dans mon deux-pièces, hein ? Pourquoi ?

— On s'est vus là-bas ! Je cherche depuis tout à l'heure. Je m'appelle Cam, a-t-il ajouté en souriant, mais mon nom latin était Sextus. *Salve !*

Un fou rire est monté dans ma poitrine comme des bulles de soda. La situation était plutôt drôle.

— *Salve !* Je suis Flavia, enfin Belly. Je veux dire Isabel, mais tout le monde m'appelle Belly.

---

1. La National Junior Classical League (association nationale pour la promotion de la culture classique dans le secondaire), qui encourage l'étude du grec et du latin, de leur littérature et de leur civilisation.

– Pourquoi ?

La question avait vraiment l'air de le tarauder.

– Mon père m'a donné ce surnom quand j'étais petite. Il trouvait Isabel trop long. Et tout le monde continue à l'utiliser. C'est débile.

Ignorant ma dernière remarque, il a repris :

– Pourquoi pas Izzy, alors ? Ou Belle ?

– Aucune idée. Sans doute parce que les Jelly Belly sont mes bonbons préférés et que je jouais souvent à un jeu avec mon père : il me demandait de quelle humeur j'étais et je répondais par un parfum de Jelly Belly. Prune, quand j'étais contente...

Je n'ai pas terminé ma phrase. J'avais tendance à devenir très bavarde quand j'étais nerveuse et j'étais, faut-il le préciser, nerveuse. J'avais toujours détesté ce surnom, en partie parce que ce n'était pas un vrai nom, que ça faisait bébé. Alors qu'Isabel avait des consonances exotiques, évoquant une fille qui était allée au Maroc et au Mozambique, qui portait du vernis à ongles rouge à longueur d'année et qui avait une frange. En entendant Belly, on imaginait tout de suite un gosse joufflu, en revanche.

– Bref, je déteste Izzy, mais j'aimerais bien qu'on m'appelle Belle. C'est joli.

Il a acquiescé.

– C'est d'ailleurs la signification de « belle ». En français.

– Je sais, j'en fais aussi.

Il a dit quelque chose en français, si vite que je n'ai rien compris.

– Quoi ?

Je me suis sentie débile. C'est tellement gênant de parler une langue étrangère en dehors d'une salle de classe. Conjuguer un verbe est une chose, l'utiliser dans une conversation en est une tout autre.

– Ma grand-mère est française, a-t-il expliqué. Je le parle depuis que je suis tout petit.

– Ah...

Maintenant je me sentais débile de m'être vantée de l'avoir étudié.

– Tu sais, le *v* est censé se prononcer *ou*.

– Quoi ?

– Dans Flavia. En principe, on dit *Flaouia*.

– Bien sûr que je le sais, ai-je rétorqué sèchement. J'ai obtenu le deuxième prix à l'oral. Mais *Flaouia*, c'est ridicule.

– J'ai eu le premier prix, a-t-il ajouté en s'efforçant de ne pas avoir l'air prétentieux.

Je me suis soudain souvenue d'un garçon en tee-shirt noir et cravate rayée qui avait éclipsé tout le monde avec sa prestation. C'était lui.

– Pourquoi as-tu choisi ce nom si tu le trouves ridicule ? a-t-il poursuivi.

– Parce que Cornelia était déjà pris, ai-je soupiré. Tout le monde avait jeté son dévolu sur Cornelia.

– Ouais, les garçons c'était sur Sextus.

– Pourquoi ?

J'ai aussitôt regretté ma question.

– Ah... Laisse tomber, ai-je ajouté piteusement.

Cam s'est marré.

– L'humour des collégiens ne vole pas très haut.

J'ai ri à mon tour.

– Alors, tu es en vacances dans le coin ? lui ai-je demandé.

– On loue une maison à deux pas d'ici. C'est ma mère qui m'a forcé à venir à la soirée, a-t-il dit en se grattant le sommet du crâne d'un air gêné.

– Ah...

J'aurais bien voulu arrêter de répéter « ah » à tout bout de champ, mais c'était tout ce qui me venait.

– Et toi ? Qu'est-ce qui t'amène ici, Isabel ?

J'ai été surprise de l'entendre utiliser mon prénom. Ça m'a rappelé l'appel le jour de la rentrée. Mais c'était plaisant.

– Aucune idée. Je suis venue parce que Clay m'a invitée.

Tout ce qui sortait de ma bouche était d'une banalité à pleurer. Pour une raison qui m'échappait, je voulais impressionner ce garçon. Je voulais qu'il m'apprécie. Et je sentais qu'il me jugeait, qu'il jugeait les idioties que je sortais. Je crevais d'envie de lui dire : « Tu sais, je peux être intelligente aussi. » Je me suis rassurée en songeant que ça n'avait pas d'importance qu'il me croie intelligente ou non. Mais ça en avait, je le savais.

– Je ne vais sans doute pas tarder, a-t-il dit en terminant sa bouteille d'eau. Tu veux que je te raccompagne ? a-t-il ajouté en évitant mon regard.

J'ai tenté de dissimuler ma déception de le voir partir aussi tôt.

— Non, merci. Je suis venue avec eux, ai-je expliqué en indiquant Conrad et Jeremiah.

Il a acquiescé.

— C'est bien ce que je me disais. Ton frère n'arrête pas de regarder dans notre direction.

J'ai failli m'étrangler.

— Mon frère ? Lequel ? Lui ?

J'ai montré Conrad, qui ne s'intéressait absolument pas à nous. Il plongeait les yeux dans ceux d'une blonde coiffée d'une casquette de base-ball. Il était même en train de rire, ce qui ne lui arrivait jamais.

— Ouais.

— Ce n'est pas mon frère. Même s'il se prend pour le grand frère de tout le monde. C'est insupportable... Mais pourquoi est-ce que tu pars déjà ? Tu vas rater le feu d'artifice.

Il s'est éclairci la gorge comme si la réponse à cette question l'embarrassait.

— Euh... eh bien, je comptais rentrer bosser un peu.

— Ton latin ?

Je me suis mis une main sur la bouche pour retenir un rire nerveux.

— Non, les baleines. Je voudrais faire un stage au sein d'une équipe d'observation de baleines et je dois passer un examen le mois prochain, a-t-il expliqué en se grattant une nouvelle fois le sommet du crâne.

— Ah, c'est chouette.

J'aurais bien aimé qu'il reste encore. Je n'avais pas envie qu'il parte. Il était sympa. Il était si grand qu'à côté de lui je me sentais petite et fragile, comme Poucelina. Sans lui, je me retrouverais toute seule.

– Tu sais quoi, je veux bien que tu me raccompagnes, en fait. Attends-moi, je reviens tout de suite.

J'ai filé vers Conrad, si vite que je projetais du sable à chaque pas.

– Salut... je rentre... on me raccompagne, ai-je lancé hors d'haleine.

La blonde à la casquette m'a détaillée de la tête aux pieds.

– Bonjour, a-t-elle dit.

– Avec qui ? a rétorqué Conrad.

– Lui, ai-je répondu en désignant Cam.

– Je ne te laisse pas rentrer avec quelqu'un que tu ne connais pas, a-t-il décrété calmement.

– Bien sûr que je le connais, c'est Sextus.

– Sexe quoi ? a-t-il demandé en fronçant les sourcils.

– Peu importe. Il s'appelle Cam, il s'intéresse aux baleines et tu n'as pas ton mot à dire. Je t'informais par simple politesse, je ne te demandais pas ton autorisation.

J'ai pivoté sur les talons, mais il m'a rattrapée par le coude.

– Je me fiche qu'il s'intéresse aux baleines. Il est hors de question qu'il te raccompagne, a-t-il dit d'un ton toujours aussi égal, mais en me serrant fermement le bras. Si tu veux rentrer, je t'emmène.

J'ai pris une profonde inspiration. Il fallait que je reste calme. Je ne devais pas me laisser traiter comme un bébé devant tout le monde.

– Non, merci, ai-je répondu en essayant de me libérer.

Il a résisté.

– Je croyais que tu avais déjà un copain.

Son ton était moqueur et j'ai compris qu'il n'avait pas gobé mon mensonge de la veille. Je lui aurais bien jeté une poignée de sable au visage. J'ai commencé à me débattre.

– Lâche-moi ! Tu me fais mal !

Il m'a aussitôt libérée, le visage rouge. Je n'avais pas vraiment mal, mais moi aussi je voulais le mettre dans une position inconfortable.

– Je préfère monter en voiture avec un inconnu qu'avec quelqu'un qui a bu !

– Je n'ai pris qu'une bière, a-t-il répliqué, je pèse quatre-vingts kilos. Attends une demi-heure et je te ramène. Et arrête de faire ta gamine !

Je sentais les larmes me brûler les yeux. J'ai jeté un coup d'œil par-dessus mon épaule pour voir si Cam nous observait. C'était le cas.

– T'es qu'un sale con, ai-je dit.

Sans broncher, il m'a regardé droit dans les yeux et a répondu :

– Et toi, tu te comportes comme une gosse de quatre ans.

En m'éloignant, j'ai entendu la fille lui demander :

– C'est ta copine ?

J'ai fait volte-face, et nous avons dit au même moment :

– Non !

Confuse, elle a repris, comme si je n'étais pas là :

– Ta petite sœur alors ?

Elle portait un parfum capiteux, si fort qu'il envahissait toute l'atmosphère, qu'on avait l'impression de baigner dedans.

– Non, je ne suis pas sa petite sœur.

J'en voulais à cette fille d'avoir assisté à mon humiliation. D'autant plus qu'elle était jolie et qu'elle me rappelait Taylor, ce qui, d'une certaine façon, était encore pire.

– Nos mères sont amies, a expliqué Conrad.

C'était tout ce que je représentais pour lui, alors ? La fille d'une amie de sa mère ? J'ai repris mon souffle et sans me laisser le temps de réfléchir, j'ai dit à la fille :

– Je connais Conrad depuis toujours. Alors permets-moi de te dire que tu fais fausse route. Il n'aimera jamais personne autant que lui-même, si tu saisis l'allusion...

J'ai brandi ma main et agité mes doigts.

– La ferme, Belly, m'a prévenue Conrad.

Ses oreilles viraient à l'écarlate. C'était un coup bas, mais je m'en fichais. Il l'avait bien cherché.

La fille a affiché un air perplexe.

– De quoi elle parle, Conrad ?

– Ah, je suis désolée, tu ne connais peut-être pas l'expression « faire fausse route »...

Une grimace a déformé son joli minois.

– Sale pétasse ! a-t-elle soufflé.

Je me suis liquéfiée, j'aurais voulu me rétracter. Je ne m'étais jamais disputée avec une inconnue avant.

Heureusement, Conrad est intervenu.

– Belly, retourne là-bas, m'a-t-il dit sèchement en indiquant le feu de camp, et attends que je vienne te chercher.

À ce moment-là, Jeremiah nous a rejoints de sa démarche décontractée.

– Du calme ! Qu'est-ce qui se passe ? a-t-il demandé avec son habituel sourire.

– Ton frère est un plouc, voilà ce qui se passe.

Jeremiah a posé un bras sur mes épaules. Il sentait la bière.

– Soyez sympas, d'accord ?

Je me suis dégagée d'un mouvement d'épaules.

– Je suis très sympa. Pas comme ton frère.

– Attends, vous êtes aussi frère et sœur ? a demandé la fille.

– Tu ne partiras pas avec ce type, a lancé Conrad.

– Détends-toi, Rad, a répliqué Jeremiah. Elle ne va nulle part. Hein, Belly ?

Il s'est tourné vers moi, j'ai acquiescé en pinçant les lèvres, avant de fusiller du regard Conrad, puis la fille, mais seulement lorsque j'ai été suffisamment loin pour qu'elle ne puisse pas me tirer les cheveux. J'ai rejoint le feu de camp en essayant de me tenir bien droite et de garder la tête haute, alors que j'avais l'impression d'être une gosse qui s'est fait crier dessus à son propre anniversaire. Je trouvais injuste d'être traitée comme une gamine alors que je n'en étais plus une. J'aurais parié qu'on avait le même âge, cette fille et moi.

– Pourquoi vous vous êtes disputés ? a demandé Cam.

En ravalant mes larmes, je lui ai répondu :

– Laisse tomber. On y va ?

Il a hésité en jetant un coup d'œil dans la direction de Conrad.

– Je ne crois pas que ce soit une très bonne idée, Flavia. Mais je vais rester ici avec toi un moment. Les baleines peuvent attendre.

J'aurais pu l'embrasser. J'avais envie d'oublier l'existence de Conrad et de profiter pleinement de l'instant présent. La première pièce du feu d'artifice a éclaté au-dessus de nos têtes. En montant dans le ciel, elle a sifflé à la façon d'une bouilloire sur le feu. C'était une gerbe dorée, qui a explosé en un million de paillettes, comme autant de confettis.

On s'est assis près du feu ; il m'a parlé des baleines et je lui ai raconté des choses sans intérêt : que j'étais secrétaire du club de français et que les sandwichs au porc braisé étaient mes préférés. Il m'a expliqué qu'il était végétarien. On a dû discuter pendant une heure. J'ai senti que Conrad nous observait tout ce temps et mon majeur me démangeait. Je lui en voulais d'avoir gagné.

Quand l'air s'est rafraîchi et que j'ai commencé à avoir la chair de poule, Cam a retiré son sweat-shirt à capuche pour me le passer. Un de mes rêves se réalisait – j'étais avec un type qui me filait son pull au lieu de me narguer parce que j'avais oublié le mien.

Il portait un tee-shirt qui disait « Straight Edge » avec un dessin de lame de rasoir au-dessous.

– Qu'est-ce que ça veut dire ? ai-je demandé en remontant la fermeture Éclair de son sweat-shirt.

Il était chaud et sentait le garçon, au bon sens du terme.

– C'est le nom d'un mouvement auquel j'adhère. Je ne bois pas et je ne me drogue pas. Avant, j'étais même un tenant de la ligne dure, je ne prenais ni antibiotiques ni caféine, mais j'ai arrêté[1].

– Pourquoi ?

– Pourquoi je n'en prenais pas ou pourquoi j'ai arrêté ?

– Les deux.

– Je suis persuadé qu'il faut éviter de polluer son corps avec de la chimie. Mais j'ai arrêté parce que ça rendait ma mère dingue. Et que le Coca me manquait trop.

Moi aussi, j'aimais le Coca et j'étais contente de ne pas avoir bu, ce soir. Je n'avais pas envie qu'il ait une mauvaise opinion de moi. J'avais envie qu'il pense que j'étais indépendante, que, comme lui, je me fichais de l'avis des autres. J'avais envie d'être son amie. Et également de l'embrasser.

Cam est parti en même temps que nous. Il s'est relevé dès qu'il a vu Jeremiah s'approcher.

---

1. Straight Edge : Mouvement né dans la communauté punk dans les années 1980 et dont l'objectif est de conserver à tout prix sa lucidité pour garder le contrôle sur sa vie, notamment en évitant l'absorption de toute substance contraire à ce principe.

– Bonsoir, Flavia !

J'ai voulu lui rendre son sweat-shirt, mais il m'en a empêchée :

– C'est bon, je le récupérerai plus tard.

– Je vais te laisser mon numéro de téléphone, ai-je dit en tendant la main pour qu'il me passe son portable.

Je n'avais jamais donné mon numéro à un garçon avant et j'étais très fière d'avoir pris l'initiative.

En rangeant le téléphone dans sa poche, il m'a dit :

– Je me serais débrouillé pour te retrouver sans ton numéro. Je suis malin, tu l'as oublié ? J'ai eu le premier prix.

J'ai retenu un sourire.

– Prétentieux ! lui ai-je lancé alors qu'il s'éloignait.

J'avais l'impression que notre rencontre était prédestinée. J'avais l'impression qu'il ne m'était jamais rien arrivé d'aussi romantique. Et c'était le cas.

J'ai regardé Conrad dire au revoir à la fille à la casquette. Elle l'a serré dans ses bras et il lui a rendu son étreinte, mais sans conviction. J'étais contente de lui avoir gâché la soirée, ne serait-ce qu'un peu.

Une fille m'a arrêtée sur le chemin de la voiture. Elle avait des couettes châtain clair et un tee-shirt rose décolleté.

– Il te plaît, Cam ? a-t-elle demandé le plus naturellement du monde.

Moi qui croyais qu'il ne connaissait personne, lui non plus...

– Je viens juste de le rencontrer, ai-je répondu.

Son soulagement était visible. J'ai reconnu la lueur rêveuse dans ses yeux. Je devais avoir exactement la même quand je parlais de Conrad, quand je réussissais à glisser son nom dans la conversation. Ça m'a fait de la peine pour elle, et pour moi.

– J'ai vu comment Nicole t'a parlé, a-t-elle ajouté subitement. Ne t'inquiète pas, elle est nulle.

– La fille à la casquette ? Ouais, je suis bien d'accord.

Puis j'ai agité la main pour lui dire au revoir et j'ai rejoint Jeremiah et Conrad à la voiture.

Conrad a pris le volant. Il était parfaitement sobre et je savais que ça avait été le cas toute la soirée. Il a remarqué que je portais le sweat-shirt de Cam, mais il n'a pas fait de commentaire. Nous ne nous sommes pas adressé la parole une seule fois. Jeremiah était assis à côté de moi sur la banquette arrière. Il a raconté des blagues, mais personne n'a ri. J'étais trop occupée à me repasser en boucle le film de la soirée. « Peut-être la meilleure de toute ma vie », ai-je songé.

Dans mon agenda, l'année précédente, Sean Kirkpatrick avait écrit que j'avais des « yeux si clairs » qu'il pouvait « y voir mon âme ». Ça m'avait fait plaisir, même si ça venait d'un loser. Taylor avait ricané quand je le lui avais montré. Elle avait dit qu'il n'y avait que Sean Kirkpatrick pour noter la couleur de mes yeux vu que les autres mecs étaient trop occupés à mater ma poitrine. Mais là, ce n'était plus Sean Kirkpatrick. C'était Cam, un type chouette qui m'avait remarquée avant que je devienne jolie.

J'étais en train de me laver les dents dans la salle de bains à l'étage quand Jeremiah est entré. Il a refermé la porte derrière lui.

– Qu'est-ce qui s'est passé entre Rad et toi ? Pourquoi êtes-vous aussi fâchés l'un contre l'autre ? a-t-il demandé en s'asseyant sur le lavabo.

Jeremiah détestait les disputes. C'était en partie pour cette raison qu'il faisait le clown, il cherchait toujours à détendre l'atmosphère. C'était adorable, mais aussi un peu pénible.

La bouche pleine de dentifrice, j'ai répondu :

– Mmmm... parce que c'est un super-méga-crétin prétentieux ?

On a éclaté de rire. C'était une petite blague entre nous, une réplique tirée d'un dessin animé qu'on regardait en boucle l'été où j'avais huit ans et lui neuf. Il s'est éclairci la gorge.

– Sérieusement, Belly, ne sois pas trop dure avec lui. C'est pas facile pour lui en ce moment.

Je m'attendais à tout sauf à ça.

– Quoi ? Pourquoi ?

Jeremiah a hésité.

– Ce n'est pas à moi de te le dire.

– Allez. On s'est toujours tout raconté, Jer'. Pas de secrets, tu te souviens ?

Il a souri.

– Je me souviens très bien, mais je ne peux rien te dire. Ce n'est pas mon secret.

– Tu es toujours de son côté, ai-je répliqué l'air renfrogné en ouvrant le robinet.

– Je ne suis pas de son côté ; je t'explique juste la situation.

– Je ne vois pas la différence.

Il s'est approché pour me remonter les coins de la bouche. C'était l'un de ses plus vieux tours, qui réussissait toujours à me tirer un sourire.

– Pas de boudin, Belly, tu te souviens ?

Conrad et Steven avaient inventé la règle du « Pas de boudin » un été. Je devais avoir huit ou neuf ans. Évidemment, ça ne s'appliquait qu'à moi. Ils avaient même affiché une pancarte sur la porte de ma chambre. Je l'avais arrachée et j'avais couru le raconter à Susannah et à ma mère. Ce soir-là, j'avais eu le droit de prendre deux fois du dessert, je me rappelle. Chaque fois que j'avais l'air un peu triste, l'un des garçons se mettait à crier :

– Pas de boudin. Pas de boudin.

D'accord, c'est vrai, je faisais peut-être souvent la tête, mais c'était le seul moyen de parvenir à mes fins. Parfois, c'était vraiment dur d'être la seule fille. Mais parfois, non.

Chapitre vingt-deux

15 ans

Cette nuit-là, j'ai gardé le sweat-shirt de Cam pour dormir. C'était sans doute un peu bébête, mais ça m'était égal. Et le lendemain, je ne l'ai pas quitté de la journée, alors qu'il y avait un soleil de plomb. J'adorais ses manches effilochées et j'adorais sentir la présence de quelqu'un d'autre. La présence d'un garçon.

Cam était le premier à s'intéresser à moi, à exprimer aussi clairement son envie de passer du temps avec moi. Sans en éprouver aucune gêne.

En me réveillant, je me suis rendu compte que je lui avais donné le numéro de la maison. J'ignorais pourquoi. Je connaissais mon numéro de portable par cœur pourtant.

J'ai guetté la sonnerie du téléphone. Personne n'appelait jamais la maison de vacances, à part Susannah pour s'enquérir du poisson qu'on voulait manger le soir et ma mère pour dire à Steven de mettre les serviettes au sèche-linge ou de lancer le barbecue.

Je me suis installée sur une chaise longue au soleil, devant la maison, pour lire. J'ai gardé le pull de Cam roulé en boule sur mes genoux comme un animal empaillé. On vivait toujours les fenêtres ouvertes, j'étais sûre d'entendre le téléphone.

J'ai commencé par m'enduire d'une couche de crème, puis de deux d'ambre solaire. J'ignorais si c'était une contradiction en soi, mais je préférais pêcher par prudence qu'avoir des regrets. J'avais tout prévu : de la grenadine dans une vieille bouteille d'eau, une radio, des lunettes de soleil et des magazines. Susannah m'avait offert ces lunettes plusieurs étés plus tôt. Elle adorait faire des cadeaux. Lorsqu'elle allait en ville pour des courses, elle rapportait des petites choses, comme cette paire avec une monture en forme de cœurs rouges qu'il me fallait absolument d'après elle. Elle connaissait parfaitement mes goûts, elle savait ce qui me plairait, même si c'étaient des choses auxquelles je n'avais jamais pensé et que je me serais encore moins imaginé acheter. De la lotion pour les pieds à la lavande par exemple, ou une boîte matelassée où ranger les mouchoirs en papier.

Ma mère et elle étaient parties de bonne heure ce jour-là faire la tournée des galeries d'art à Dyerstown, et Conrad, Dieu merci, était déjà au travail. Jeremiah, lui, dormait encore. La maison était à moi.

En théorie, la perspective de me dorer au soleil me réjouissait. Je paresserais en bronzant et en sirotant une boisson fraîche, puis je m'endormirais comme un gros chat. Mais en pratique, c'était assez ennuyeux. Sans parler de la chaleur accablante. J'aurais préféré faire la planche dans l'océan plutôt que transpirer sur ma chaise longue. D'autant plus qu'on bronze mieux en étant mouillé, apparemment.

Ce matin-là, je n'avais pas le choix pourtant. Cam risquait d'appeler. Je suis donc restée allongée là, à suer et rôtir comme un morceau de poulet sur le gril. C'était un mal nécessaire.

Peu après dix heures, le téléphone a sonné. J'ai bondi dans la cuisine.

— Allô ? ai-je lancé à bout de souffle.

— Bonjour, Belly. C'est monsieur Fisher.

— Ah, bonjour, monsieur Fisher.

J'ai tenté de dissimuler ma déception.

— Alors, a-t-il repris en se grattant la gorge, comment ça se passe ?

— Très bien. Susannah est sortie malheureusement. Ma mère et elle visitent des galeries à Dyerstown.

— Je vois... Comment vont les garçons ?

Je ne savais jamais quoi répondre à M. Fisher.

— Bien... Conrad est au travail et Jeremiah dort encore. Vous voulez que j'aille le réveiller ?

— Non, non, c'est inutile.

Un long silence a suivi et j'ai cherché quelque chose à ajouter :

— Est-ce que vous... euh... venez ce week-end ?

— Non, pas celui-ci, a-t-il répondu.

On aurait dit qu'il appelait de très très loin.

— Je réessaierai plus tard, a-t-il ajouté. Amuse-toi bien, Belly.

J'ai raccroché. M. Fisher n'était pas encore venu une seule fois à Cousins cette année. Habituellement, il descendait le week-end suivant le 4 Juillet, parce qu'il pouvait plus facilement quitter le travail à ce moment-là. Quand il nous rejoignait, il cuisinait au barbecue tout le week-end et il n'ôtait pas son tablier qui disait LE CHEF SAIT CE QUI EST BON. Je me suis demandé si Susannah serait triste d'apprendre qu'il ne venait pas, si les garçons en auraient quelque chose à faire.

Je suis retournée à ma chaise longue au soleil, où j'ai fini par m'endormir. J'ai été réveillée par Jeremiah, qui m'aspergeait le ventre avec de la grenadine.

– Arrête, ai-je râlé en me redressant.

Ma grenadine trop sucrée (j'avais toujours la main lourde sur le sirop) m'avait donné soif et je me sentais complètement déshydratée d'avoir autant transpiré.

Il a éclaté de rire et s'est assis sur ma chaise longue.

– C'est ce que tu as prévu de faire toute la journée ?

– Oui, ai-je riposté en me passant une main sur le ventre avant de l'essuyer sur son short.

– Bonjour, l'ennui ! Viens plutôt avec moi, a-t-il proposé, je ne travaille pas avant ce soir.

– Je perfectionne mon bronzage.

– Il est déjà parfait.

– Tu me laisseras conduire ?

Il a hésité.

– D'accord. Mais tu te rinces d'abord, je n'ai pas envie que tu mettes plein d'huile sur mon siège.

Je me suis levée et j'ai réuni mes cheveux graissés en une queue-de-cheval haute.

– Je reviens, je n'en ai pas pour longtemps.

Jeremiah m'a attendue dans la voiture, la climatisation poussée à fond. Il s'était assis du côté passager.

– Où est-ce qu'on va ? ai-je demandé en me glissant derrière le volant.

J'avais l'impression d'être une vieille routière.

– Le Tennessee ? Le Nouveau-Mexique ? Si je veux m'entraîner, il faudra rouler au moins jusque là-bas.

Il s'est laissé aller contre l'appuie-tête en fermant les yeux.

– Contente-toi de tourner à gauche en sortant de la maison.

– Oui, chef, ai-je répondu en coupant la climatisation et en baissant les quatre vitres.

C'était mieux de rouler les fenêtres ouvertes, ça donnait l'impression d'aller quelque part. Il a continué à égrener ses indications et nous sommes arrivés à la piste de karting.

– Tu es sérieux ? lui ai-je demandé.

– Ce n'est pas toi qui voulais t'entraîner ? a-t-il rétorqué en souriant à pleines dents.

On a fait la queue et, lorsque notre tour est arrivé, le type m'a attribué une voiture bleue.

– Je ne pourrais pas avoir la rouge, plutôt ? ai-je demandé.

Il m'a répondu avec un clin d'œil :

— Tu es si jolie que je serais prêt à te filer ma propre voiture.

J'ai senti que je rougissais, mais ça m'a plu. Il avait beau être plus vieux que moi, ça ne l'avait pas empêché de me remarquer. Je l'avais déjà vu l'été précédent et il ne m'avait pas accordé un seul regard.

En montant dans la voiture à côté de la mienne, Jeremiah a grommelé :

— Quel gros lourd ! Il devrait se chercher un vrai métier plutôt qu'étaler son humour pourri.

— Parce que maître nageur, c'est un vrai métier ? ai-je répliqué.

— Conduis et tais-toi ! a lâché Jeremiah en se renfrognant.

Chaque fois que je repassais devant lui, le type me faisait signe. Au troisième tour, j'ai agité la main, moi aussi.

Nous avons enchaîné les tours de piste jusqu'au moment où Jeremiah a dû partir au travail.

— Il me semble que tu as assez conduit pour aujourd'hui, a-t-il dit en se frottant la nuque. Je nous ramène à la maison.

Je n'ai pas protesté. Il a roulé vite, m'a déposée au coin de la rue et a filé au country-club. Je me sentais fatiguée et bronzée. Et j'étais très contente de ma journée.

— Un certain Cam a appelé pour toi, m'a lancé ma mère quand je suis entrée dans la cuisine.

Elle était assise à la table et lisait le journal avec ses lunettes en écaille. Elle n'a pas relevé la tête.

– Ah bon, ai-je rétorqué en dissimulant mon sourire du revers de la main. Il a laissé un numéro ?

– Non, il a dit qu'il rappellerait.

– Pourquoi tu ne le lui as pas demandé ?

J'avais un ton geignard que je détestais. Mais c'était plus fort que moi. Elle m'a regardée, étonnée.

– Je l'ignore, il ne l'a pas proposé. Qui est-ce ?

– Peu importe, ai-je rétorqué en sortant de la limonade du réfrigérateur.

– Comme tu veux, a-t-elle dit en reprenant sa lecture.

Elle n'a pas insisté. Elle n'insistait jamais. Elle aurait quand même pu lui demander son numéro. Si Susannah avait été à sa place, elle m'aurait taquinée d'une voix chantonnante pour avoir des détails jusqu'à ce que je craque. Et j'aurais joué le jeu, de bon cœur.

– M. Fisher a téléphoné ce matin.

Elle a de nouveau redressé la tête.

– Qu'est-ce qu'il a dit ?

– Pas grand-chose, à part qu'il ne viendrait pas ce week-end.

Elle a pincé les lèvres sans prononcer un mot.

– Où est Susannah ? ai-je demandé. Dans sa chambre ?

– Oui, mais elle ne se sent pas bien, elle fait la sieste.

En clair : Ne monte pas la déranger.

– Qu'est-ce qu'elle a ?

– Un rhume, a-t-elle répondu du tac au tac.

Ma mère était une piètre menteuse. Susannah avait passé beaucoup de temps dans sa chambre depuis notre arrivée et je ne l'avais jamais vue aussi triste. Je savais que quelque chose clochait, seulement je ne savais pas quoi exactement.

Chapitre vingt-trois

15 ans

Cam avait rappelé le lendemain soir et le surlendemain. On s'était parlé deux fois au téléphone avant de se revoir. On avait discuté pendant au moins quatre ou cinq heures, chaque fois. Je m'étais allongée sur une chaise longue de la véranda, les orteils tournés vers la lune. J'avais ri si fort que Jeremiah m'avait crié par la fenêtre de sa chambre de mettre la sourdine. On avait parlé de tout et de rien, c'était super, mais je m'étais demandé quand il allait se décider à me proposer un rendez-vous. Ce qu'il n'avait pas fait.

C'était donc moi qui avais pris les choses en main. Je l'avais invité à venir à la maison pour jouer aux jeux vidéo et, pourquoi pas, se baigner. J'avais eu le sentiment d'être une femme libérée, qui n'hésitait pas à décrocher son téléphone – comme si ça m'arrivait sans arrêt ! En réalité, je ne l'avais fait que parce que je savais qu'il n'y aurait personne à la maison. Je ne voulais pas que Jeremiah, Conrad, ma mère ou même Susannah le voient. Pour le moment, il était à moi seule.

— Je te préviens, je suis une super nageuse, alors ne sois pas fâché si je te bats à la course, lui avais-je dit au téléphone.

Il s'était marré avant de demander :

— À la nage libre ?

— À n'importe quelle nage.

— Pourquoi aimes-tu autant gagner ?

Je n'avais pas la réponse à cette question, sauf que c'était amusant de gagner. Et puis qui n'aimait pas ça après tout ? Toute l'année je vivais au contact de Steven et l'été, de Conrad et de Jeremiah, c'était important d'avoir la gagne. Deux fois plus parce que j'étais une fille et que personne ne s'attendait à ce que je remporte quoi que ce soit. La victoire est mille fois plus agréable quand elle surprend tout le monde.

J'ai vu Cam arriver depuis la fenêtre de ma chambre. Il avait une vieille voiture bleu marine, qui avait autant vécu que son sweat-shirt – que j'avais bien l'intention de garder. C'était exactement le genre de voiture dans laquelle je m'attendais à le voir.

Il a sonné à la porte et j'ai dévalé les escaliers pour aller lui ouvrir.

— Salut ! ai-je lancé.

— Tu portes mon sweat-shirt, a-t-il répondu en souriant.

Il était encore plus grand que dans mon souvenir.

— Tu sais, je me disais que j'aimerais beaucoup le garder, lui ai-je annoncé en le laissant entrer et en refermant la porte derrière lui. Mais je compte bien le remporter à la course.

— Il ne faudra pas m'en vouloir si je vais plus vite, a-t-il rétorqué en haussant un sourcil. C'est mon pull préféré et, si je gagne, je repars avec.

— Entendu !

On est sortis par-derrière. À peine arrivée à la piscine, je me suis déshabillée sans réfléchir – avec Jeremiah, on faisait systématiquement la course pour être le plus vite possible à l'eau. Je n'ai pas pensé une seconde que je pourrais être gênée de me mettre en deux-pièces devant Cam. J'étais tout le temps en maillot dans cette maison.

Il a aussitôt détourné le regard, puis il a enlevé son tee-shirt.

— Prête ? a-t-il demandé en se plaçant au bord de la piscine.

Je l'ai rejoint.

— Un aller-retour ? ai-je surenchéri en goûtant l'eau avec mon orteil.

— Bien sûr. Tu veux un peu d'avance ?

— Tu plaisantes ? ai-je dit avec un petit rire. En revanche, je peux t'en laisser, si tu veux.

— Touché ! a-t-il répondu en souriant.

Je n'avais jamais entendu un garçon dire « touché » avant. Ni personne d'ailleurs. Sauf, peut-être, ma mère. Mais dans sa bouche à lui ça sonnait bien, différemment.

J'ai remporté sans difficulté la première manche.

— Tu m'as laissée gagner, l'ai-je accusé.

Il s'en est défendu, mais je savais que c'était le cas. De tous les étés que j'avais passés ici, de toutes les courses que j'avais disputées, ni Conrad, ni Jeremiah, ni encore moins Steven, ne m'avait jamais laissée gagner.

— Tu as intérêt à donner le meilleur de toi, cette fois, l'ai-je prévenu. Ou tu vas devoir dire adieu à ton sweat.

— Il sera à celui qui aura remporté deux manches sur trois, a-t-il répliqué en chassant ses cheveux de ses yeux.

Il a remporté la suivante et moi la dernière. Je ne suis pas certaine qu'il n'ait pas fait exprès de perdre — après tout, il était si grand et fin que chacun de ses mouvements équivalait à deux des miens —, mais je voulais garder son sweat-shirt et je n'ai pas discuté. Une victoire restait une victoire.

Je l'ai raccompagné à sa voiture quand il a dû partir. Il n'est pas monté tout de suite. Un long silence s'est installé entre nous, c'était le premier, si incroyable que cela paraisse. Il s'est éclairci la gorge avant de lancer :

— Mmm... je connais un type, Greg Kinsey, qui organise une fête demain soir. Ça te dirait de venir ?

— Ouais, ai-je aussitôt répondu. Beaucoup.

J'ai commis l'erreur d'en parler le lendemain matin. Ma mère et Susannah étaient sorties faire des courses. Je prenais le petit déjeuner seule avec les garçons comme presque toujours depuis le début de l'été.

— Je vais à une fête ce soir.

C'était en partie pour le dire à haute voix et en partie pour me vanter.

— Toi ? a demandé Conrad.

La surprise se lisait sur ses traits.

– Quelle fête ? a ajouté Jeremiah. Celle de Kinsey ?

J'ai posé mon verre de jus d'orange.

– Comment tu es au courant ?

Il a éclaté de rire.

– Je connais tout le monde à Cousins, Belly. Je suis maître nageur, c'est comme être maire de la ville. Greg Kinsey bosse au magasin de surf dans la galerie commerciale.

– Est-ce que ce n'est pas lui qui vend des amphétamines en douce ? a demandé Conrad en se renfrognant.

– Quoi ? N'importe quoi ! Cam ne serait pas ami avec un type comme ça, ai-je riposté.

– Qui est Cam ? s'est enquis Jeremiah.

– Le type que j'ai rencontré chez Clay. Il m'a proposé de l'accompagner à cette soirée et j'ai accepté.

– Désolé, mais tu n'iras pas à la fête d'un drogué, a décrété Conrad.

C'était la deuxième fois que Conrad se mêlait de ma vie et j'en avais assez. Pour qui se prenait-il ? Je devais aller à cette soirée. Drogue ou pas, j'irais.

– Je t'ai dit que Cam ne fréquenterait pas un type comme ça ! Il est Straight Edge.

Conrad et Jeremiah ont ricané. Dans ce genre de situation, ils faisaient toujours front.

– Straight Edge ? a répété Jeremiah en essayant de retenir un sourire. Classe.

– Trop classe, a acquiescé Conrad.

Je les ai fusillés du regard. Ils ne voulaient pas que je traîne avec des drogués, mais les types réglo ne leur convenaient pas non plus ?

– Il ne touche pas à ça, d'accord ? C'est pourquoi je doute fort qu'il puisse traîner avec un dealer.

En se grattant la joue, Jeremiah a lâché :

– Vous savez quoi, il me semble que c'est Greg Rosenberg qui vend des amphètes. Greg Kinsey est réglo. Et il a un billard. Je crois bien que je vais aller à sa soirée, moi aussi.

– Attends, quoi ?

Je sentais la panique monter.

– C'est une bonne idée, a ajouté Conrad, j'adore le billard.

Je me suis levée.

– Vous ne pouvez pas venir, vous n'avez pas été invités.

Conrad s'est appuyé contre le dossier de sa chaise en plaçant ses mains sur sa nuque.

– Ne t'inquiète pas, Belly, on ne te gâchera pas ton rancard.

– Sauf s'il pose un doigt sur toi, a ajouté Jeremiah en frappant du poing la paume de son autre main, l'air menaçant, les yeux plissés. Dans ce cas, il mordra la poussière.

– C'est un cauchemar, ai-je gémi. Je vous en supplie, les gars, ne venez pas. S'il vous plaît, s'il vous plaît ne venez pas.

Jeremiah m'a ignorée.

– Qu'est-ce que tu comptes mettre, Rad ?

– Je n'ai pas encore réfléchi. Peut-être mon bermuda. Et toi ?

– Je vous hais ! ai-je lancé.

Les choses étaient bizarres entre eux et moi. Une pensée inédite s'est présentée à mon esprit. Se pouvait-il qu'ils ne veuillent pas que je sorte avec Cam ? Parce qu'ils auraient des sentiments pour moi ? Est-ce que c'était vraiment possible ? J'en doutais, j'étais comme une petite sœur pour eux. Sauf que je n'étais pas leur sœur.

Quand j'ai eu fini de me préparer et que l'heure de partir a approché, je me suis arrêtée devant la chambre de Susannah. Ma mère et elle s'étaient terrées là pour trier de vieilles photos. Susannah était prête pour aller au lit, alors qu'il était encore tôt. Elle était sur son lit, adossée contre des oreillers, et elle portait une des robes de chambre en soie que M. Fisher lui avait achetées à l'occasion d'un voyage d'affaires à Hong Kong. Elle était blanc cassé et rouge coquelicot, je rêvais d'avoir la même quand je me marierais.

– Viens nous aider à préparer un album, a dit ma mère en fouillant dans une vieille boîte à chapeau rayée.

– Tu ne vois pas qu'elle s'est habillée pour sortir, Laurel ? Elle a mieux à faire que regarder des photos poussiéreuses avec nous, a ajouté Susannah en m'adressant un clin d'œil. Belly, tu es ravissante. J'adore quand tu portes du blanc, avec ton bronzage, ça te met en valeur.

– Merci, Susannah.

Je n'avais pas fait tant d'efforts que ça, mais j'avais troqué mon short du 4 Juillet contre une robe à bretelles blanche et des tongs et j'avais tressé mes cheveux de chaque côté alors qu'ils étaient encore mouillés. Je savais que je ne tiendrais sans doute pas plus d'une demi-heure avant de les détacher, parce qu'ils me tiraient déjà, mais ça n'avait aucune importance. C'était mignon.

– C'est vrai que tu es ravissante. Où vas-tu comme ça ? m'a demandé ma mère.

– À une soirée.

– Est-ce que Conrad et Jeremiah t'accompagnent ? a-t-elle dit en fronçant les sourcils.

– Ce ne sont pas mes gardes du corps, ai-je riposté en levant les yeux au ciel.

– Ce n'est pas ce que j'ai dit.

Susannah m'a chassée d'un geste de la main.

– Amuse-toi bien, Belly !

– C'est mon intention, ai-je lancé en refermant la porte sans laisser le temps à ma mère de poser d'autres questions.

J'avais espéré que Conrad et Jeremiah m'avaient juste taquinée, qu'ils ne comptaient pas vraiment venir. Pourtant, au moment où je dévalais l'escalier pour aller rejoindre Cam à sa voiture, Jeremiah m'a appelée depuis le salon.

– Hé ! Belly ?

Il regardait la télé avec Conrad. J'ai passé la tête dans l'encadrement de la porte.

– Quoi ? ai-je demandé sèchement. Je suis pressée.

Jeremiah a tourné la tête vers moi et m'a fait un clin d'œil appuyé.

– À tout à l'heure.

– C'est quoi ce parfum ? a ajouté Conrad. Il me colle la migraine. Et pourquoi tu portes tout ce maquillage ?

Il exagérait. J'avais mis du mascara, une touche de blush et du gloss, rien de plus. Il n'avait pas l'habitude, c'était tout. Et je m'étais juste vaporisé un peu de parfum dans le cou et sur les poignets. Conrad n'avait rien contre le parfum de la fille à la casquette, en revanche. Il l'adorait même... Je n'ai pas pu m'empêcher, malgré tout, d'observer mon reflet dans le miroir du couloir – et d'enlever un peu de blush et de parfum, en frottant.

J'ai claqué la porte derrière moi et j'ai couru à la rencontre de Cam, qui venait d'arriver. Je voulais lui épargner d'avoir à saluer ma mère.

– Salut ! ai-je dit en montant.

– Salut ! J'aurais pu sonner à la porte, tu sais...

– Crois-moi, c'est mieux ainsi, ai-je rétorqué, prise d'une timidité subite.

Pourquoi après avoir parlé des heures et des heures avec une personne et même s'être baigné avec elle, peut-on avoir l'impression de ne pas la connaître ?

– Je te préviens, Greg est un peu zarbi, mais il n'est pas méchant, m'a-t-il expliqué en redémarrant.

Cam était un bon conducteur, prudent.

– Est-ce qu'il vendrait, par hasard, des amphétamines ? ai-je demandé d'un ton détaché.

— Mmmm... pas à ma connaissance, a-t-il répondu en souriant.

Il avait une fossette à la joue droite que je n'avais pas remarquée l'autre soir. C'était chou.

Je me suis détendue. Maintenant que le sujet de la drogue avait été évoqué, il ne m'en restait plus qu'un à aborder. En jouant avec les breloques de mon bracelet, j'ai dit :

— Au fait, tu sais, les types qui étaient avec moi chez Clay ? Jeremiah et Conrad ?

— Tes faux frères ?

— Ouais. Je crois qu'ils ont l'intention de passer ce soir. Ils connaissent aussi... euh... Greg.

— Ah bon ? Tant mieux. Comme ça, ils se rendront peut-être compte que je ne suis pas un minable.

— Ils ne te prennent pas pour un minable. Enfin, si, sans doute un peu, mais ce serait le cas de n'importe quel type qui m'adresserait la parole, il ne faut pas y voir un affront personnel.

— Ils doivent tenir beaucoup à toi pour se montrer aussi protecteurs.

Ah bon ?

— Euh, pas vraiment. Remarque, Jeremiah, si, mais Conrad en fait une question d'honneur. Il aurait pu être samouraï... Je suis désolée, ai-je ajouté en lui jetant un coup d'œil, ce n'est pas très intéressant.

— Si, si, continue. Qu'est-ce que tu sais des samouraïs ?

En repliant mes jambes sous moi, j'ai expliqué :

— Notre prof d'histoire de troisième, Mme Baskerville, a consacré un de ses cours au Japon et au bushido, leur code d'honneur. J'étais complètement fascinée par le rite du seppuku.

– Mon père est à demi japonais. Ma grand-mère vit encore là-bas, on lui rend visite une fois par an.

– Waouh...

Je n'avais jamais mis les pieds au Japon, ni dans aucun autre pays d'Asie d'ailleurs. Les voyages de ma mère ne l'avaient pas non plus emmenée dans cette partie du monde, même si elle en rêvait.

– Tu parles japonais ? lui ai-je demandé.

– Un peu, a-t-il répondu en se grattant le sommet du crâne. Je me débrouille.

J'ai sifflé – ce que, grâce à Steven, je savais bien faire, à ma grande fierté.

– Alors tu parles anglais, français et japonais ? C'est très impressionnant. Tu es une sorte de génie, hein ? l'ai-je taquiné.

– Tu oublies le latin, a-t-il dit en souriant.

– C'est une langue morte, ai-je répliqué pour le plaisir de le contredire.

– Elle n'est pas morte, on la retrouve dans toutes les langues occidentales.

J'aurais cru entendre mon prof de latin de cinquième, M. Coney.

Quand nous sommes arrivés devant la maison du fameux Greg, je n'avais aucune envie de descendre de voiture. Je découvrais combien c'était agréable de discuter avec quelqu'un qui vous écoute attentivement. C'était planant. Et ça me donnait un étrange sentiment de puissance.

On s'est garés dans une impasse – il y avait déjà un tas de voitures devant la maison ; certaines mordaient même sur la pelouse. Cam marchait vite, ses jambes étaient si longues que j'étais obligée de me dépêcher pour ne pas me laisser distancer.

– Au fait, comment tu connais ce type ? lui ai-je demandé.

– C'est mon dealer.

Il a éclaté de rire en voyant l'expression de mon visage.

– Tu gobes vraiment n'importe quoi, Flavia ! Ses parents possèdent un bateau. Je l'ai croisé à la marina, il est très sympa.

Nous sommes entrés sans frapper. La musique était si forte qu'on l'entendait depuis la rue. C'était un karaoké : une fille s'époumonait sur *Like a Virgin* et se roulait par terre, en entortillant le fil du micro autour d'elle. Il y avait une dizaine de personnes dans le salon, qui buvaient de la bière en se passant un recueil de chansons.

– Allez, tu nous chantes *Livin'on a Prayer* après ! a lancé un mec à l'intention de la fille sur la moquette.

Deux types que je n'avais jamais vus m'ont reluquée de la tête aux pieds – je me suis demandé si j'avais forcé sur le maquillage. Je n'étais pas habituée à ce que les garçons me regardent et encore moins à ce qu'ils me proposent de sortir avec eux. C'était aussi génial qu'effrayant. J'ai remarqué la fille de la soirée du 4 Juillet, celle qui avait un faible pour Cam. Elle s'est détournée en nous apercevant ensemble, puis a jeté régulièrement des coups d'œil dans notre direction. Elle me faisait de la peine ; je ne savais que trop bien ce qu'elle éprouvait.

J'ai aussi reconnu notre voisine, Jill, qui venait à Cousins le week-end – elle a agité la main dans ma direction et je me suis rendu compte que je ne l'avais jamais vue ailleurs que devant chez elle. Elle était assise à côté du type du magasin de location de vidéos, celui qui travaillait le mardi et portait son badge à l'envers. Je n'avais jamais vu la partie inférieure de son corps avant, elle était toujours cachée par le comptoir. Il y avait également Katie, la serveuse de la Baraque à Crabes de Jimmy, sans son uniforme rayé rouge et blanc. Il y avait des gens que j'avais croisés depuis toujours, chaque été. Voilà où ils étaient tout ce temps : ils passaient leurs soirées ensemble, alors que moi je restais enfermée à la maison, à regarder de vieux films avec ma mère et Susannah.

Cam connaissait tout le monde, apparemment. Il a salué les garçons en pressant son épaule contre la leur et les filles en les étreignant. Il m'a présentée comme son amie Flavia.

– Flavia, voici Kinsey, on est chez lui.

– Salut, Kinsey.

Il était avachi sur le canapé, torse nu. Il était maigrichon et n'avait pas l'air d'un dealer. Il faisait plutôt penser à un livreur de journaux. Il a avalé une gorgée de bière avant de rétorquer :

– En réalité, c'est Greg, même si tout le monde dit Kinsey.

– Et moi, Belly. Il n'y a que Cam qui m'appelle Flavia.

Greg a acquiescé comme si je venais de lui expliquer quelque chose de très profond.

– Si vous voulez une bière, il y a une glacière dans la cuisine.

– Ça te tente ? m'a demandé Cam.

J'ignorais quelle réponse apporter à sa question. D'un côté, oui, j'en avais plutôt envie. Je ne buvais jamais, ce serait une sorte d'expérience. Une preuve supplémentaire que cet été était unique, important. D'un autre côté, j'avais peur qu'il soit dégoûté de moi, qu'il me juge. Je ne connaissais pas les règles du Straight Edge.

Finalement, j'ai décliné l'offre. La dernière chose dont j'avais besoin, c'était d'une haleine comme celle de Clay, l'autre nuit.

– Je prendrai un Coca, ai-je répondu.

Il a hoché la tête et j'ai vu qu'il était content. On s'est dirigés vers la cuisine. Sur le chemin, j'ai surpris des bribes de conversation – « J'ai entendu dire que Kelly avait été arrêtée pour conduite en état d'ivresse, c'est pour cette raison qu'elle n'est pas ici cet été », « Et moi, on m'a raconté qu'elle avait été renvoyée du bahut ». Je me suis demandé qui était cette Kelly. Est-ce que je la reconnaîtrais si je la voyais ? Tout ça, c'était la faute de Steven, de Jeremiah et de Conrad, qui ne m'emmenaient nulle part. C'était à cause d'eux que je ne rencontrais jamais personne.

Les chaises de la cuisine étaient encombrées de sacs à main et de vestes, Cam a donc déplacé des bouteilles de bière vides sur le comptoir pour dégager un peu d'espace. J'ai sauté pour m'asseoir.

— Tu connais tous ces gens ? ai-je demandé à Cam.

— Pas vraiment, je voulais juste te donner l'impression d'être cool.

— Pas besoin de ça, ai-je répliqué en piquant un fard presque aussitôt.

Il s'est marré comme si je venais de faire de l'esprit, ce qui m'a aidée à me détendre. Il a sorti un Coca de la glacière, l'a décapsulé et me l'a tendu.

— Ce n'est pas parce que je suis Straight Edge que tu ne peux pas boire. Évidemment, ça me donnera une mauvaise opinion de toi, mais sens-toi libre si tu en as envie... Je plaisante, au fait.

— J'avais compris, mais ce Coca me va très bien.

C'était la vérité. J'en ai bu une longue gorgée et un petit rot m'a échappé. Je me suis excusée en dénouant une de mes tresses — elles étaient déjà trop serrées et mon crâne était douloureux.

— Tu rotes comme un bébé. Ce qui est à la fois dégoûtant et mignon.

Après avoir détaché la seconde tresse, je lui ai donné une bourrade. Dans ma tête, j'ai entendu Conrad : « Oh oh, tu le frappes maintenant. Excellente technique de drague, Belly, excellente ! » Même lorsqu'il était absent il était présent. Et puis, tout à coup, il a vraiment été là.

Comme surgies de nulle part, quelques notes de tyrolienne ont résonné dans le micro : il n'y avait que Jeremiah pour chanter comme ça. Je me suis mordu la lèvre.

— Ils sont arrivés, ai-je dit.

— Tu veux aller les voir ?

— Pas vraiment, ai-je répondu en sautant du comptoir malgré tout.

On est retournés dans le salon ; Jeremiah était au milieu de la pièce, il interprétait d'une voix de fausset une chanson que je ne connaissais pas. Les filles se tordaient de rire en le dévorant du regard. Conrad, lui, était sur le canapé, une bière à la main. La fille à la casquette était perchée sur l'accoudoir à côté et elle se penchait vers lui de sorte que ses cheveux lui tombaient sur le visage, comme un rideau les encadrant tous les deux. Je me suis demandé s'ils étaient passés la prendre, s'ils l'avaient laissée s'asseoir devant.

— Il chante bien, a dit Cam avant d'ajouter, en suivant mon regard : Ils sont ensemble, Nicole et lui ?

— Aucune idée. Et aucune importance.

Jeremiah a remarqué ma présence au moment de saluer à la fin de la chanson.

— Belly ! La prochaine chanson est une spéciale dédicace. Comment tu t'appelles ? a-t-il dit en pointant un doigt sur Cam.

Lequel s'est éclairci la gorge avant de répondre :

— Cam. Cameron.

— Cam Cameron ? a lancé Jeremiah dans le micro. Ça craint comme nom, mon pote.

Tout le monde a éclaté de rire, surtout Conrad, qui avait l'air de s'ennuyer comme un rat crevé une seconde plus tôt.

— Cam tout court, a-t-il rétorqué calmement.

Il s'est tourné vers moi et j'ai eu honte. Pas pour lui, mais à cause de lui. Et je leur en ai terriblement voulu.

C'était comme si Conrad et Jeremiah avaient décidé qu'il n'en valait pas la peine et que j'étais obligée de partager leur opinion. Alors qu'il y avait encore quelques minutes je me sentais très proche de lui.

– OK, Cam Cameron. Cette chanson vous est dédiée, à toi et à notre Belly-Bella préférée. Envoyez, les filles !

Une fille a enfoncé la touche play de la télécommande.

– *« Summer lovin', had me a blast... »*

J'aurais voulu le tuer, mais j'ai seulement été capable de secouer la tête en le fusillant du regard. Je n'allais pas lui arracher le micro des mains devant tous ces gens, de toute façon. Jeremiah s'est contenté de me sourire en se mettant à danser. Une des filles assises en tailleur par terre a bondi pour l'accompagner en massacrant la partie d'Olivia Newton-John. Conrad observait la scène de son air dédaigneux. J'ai entendu une fille demander, en me regardant :

– C'est qui cette nénette, d'abord ?

À côté de moi, Cam se marrait. Je n'en revenais pas. J'étais consumée par la honte et il se poilait.

– Souris, Flavia, a-t-il dit en me plantant son index dans le bras.

C'est plus fort que moi, quand on me dit de sourire, je le fais toujours.

Au milieu de la chanson, on a quitté le salon, Cam et moi. Je n'ai pas eu besoin de vérifier pour savoir que Conrad nous observait.

On s'est assis dans l'escalier pour discuter, Cam sur la marche au-dessus de la mienne. C'était vraiment un interlocuteur agréable, il n'avait rien d'intimidant. C'était facile de le faire rire – contrairement à Conrad, auquel il fallait arracher le moindre sourire. Mais rien n'était jamais facile avec Conrad.

Chaque fois que Cam se penchait vers moi, je croyais qu'il allait essayer de m'embrasser. J'étais persuadée que je ne me défilerais pas. Mais il se grattait la cheville ou tirait sur sa chaussette avant de se redresser, puis de recommencer.

Il se penchait une nouvelle fois quand me sont parvenus des éclats de voix agressifs depuis la terrasse. J'ai aussitôt identifié parmi elles celle de Conrad. J'ai sauté sur mes pieds.

– Il se passe quelque chose.

– Allons voir, a dit Cam en ouvrant la marche.

Conrad et un type avec un fil barbelé tatoué sur l'avant-bras se disputaient. Il était plus petit que Conrad, mais plus costaud. Il avait l'air d'avoir vingt-cinq ans. Jeremiah observait leur altercation avec amusement, mais je le savais sur le qui-vive, prêt à intervenir en cas de besoin.

– Pourquoi se battent-ils ? lui ai-je demandé à voix basse.

Il a haussé les épaules.

– Conrad est bourré, ne t'inquiète pas. Ils jouent juste les gros bras.

– On dirait qu'ils sont prêts à se tuer, ai-je insisté, mal à l'aise.

– Tout va bien, est intervenu Cam. Mais on ferait bien d'y aller, il est tard.

Je l'ai regardé d'un air surpris, j'avais presque oublié sa présence.

– Il est hors de question que je parte d'ici.

Comme si je pouvais empêcher une bagarre... Quoi qu'il en soit, je ne me sentais pas de l'abandonner.

Conrad a fait un pas dans la direction du type au tatouage et, comme celui-ci le repoussait sans difficulté, il s'est marré. L'orage grondait, ils allaient en venir aux mains. C'était le calme avant la tempête.

– Est-ce que tu vas intervenir, à la fin ? ai-je soufflé à Jeremiah.

– C'est un grand garçon, a-t-il rétorqué sans quitter son frère des yeux. Tout ira bien.

Mais il n'y croyait pas davantage que moi. Conrad n'allait pas bien du tout. Il n'était pas lui-même, il était violent, hors de contrôle. Et s'il se faisait mal ? Hein ? Il fallait que j'agisse, je n'avais pas le choix.

Je me suis dirigée vers eux et j'ai repoussé Jeremiah d'un geste de la main quand il a tenté de m'arrêter. Arrivée près de Conrad et du type, je me suis rendu compte que je n'avais pas la moindre idée de ce que j'allais dire. Je ne m'étais jamais interposée dans une bagarre.

– Mmmm, salut, ai-je lancé en me plantant entre eux deux. On doit y aller.

Conrad m'a écartée.

– Dégage, Belly.

– C'est qui ? Ta petite sœur ? a demandé le tatoué en me détaillant de haut en bas.

– Non, je suis Belly, ai-je riposté.

Sauf que la nervosité m'a fait bégayer.

— Be-belly ?

Il a éclaté de rire et j'ai attrapé Conrad par le bras.

— On s'en va maintenant, ai-je insisté.

J'ai mesuré à quel point il était ivre quand il a vacillé en essayant de se débarrasser de moi.

— Reste, on commence seulement à s'amuser. Tu vois, je vais botter le cul de ce mec...

Je ne l'avais jamais vu dans un état pareil. Sa virulence m'effrayait. Je me suis demandé où la fille à la casquette était passée. J'aurais aimé qu'elle soit là pour s'occuper de Conrad à ma place. J'ignorais comment agir.

Le type s'est marré, mais j'ai compris qu'il ne souhaitait pas plus que moi cette bagarre. Il avait l'air fatigué, comme s'il aspirait seulement à rentrer chez lui pour se coller devant la télé en caleçon. Conrad, lui, était vraiment à fond. Il me faisait penser à une bouteille de soda qu'on a secouée ; il n'allait pas tarder à exploser sur quelqu'un. Peu importait qui. Et peu importait que ce type soit plus fort que lui – ça n'aurait rien changé, même s'il avait mesuré dix mètres et avait été bâti comme une armoire à glace. Conrad cherchait la bagarre. Et il ne serait pas satisfait tant qu'il ne l'aurait pas trouvée. Or ce mec aurait pu le tuer.

Son regard n'arrêtait pas de passer de Conrad à moi.

– Belly, a-t-il dit en secouant la tête, tu devrais ramener ce gosse à la maison.

– Je t'interdis de lui parler, l'a menacé Conrad.

J'ai posé ma main sur sa poitrine. C'était la première fois. Elle était ferme et tiède ; son cœur battait vite sous ma paume.

— Est-ce qu'on ne pourrait pas simplement rentrer ? ai-je supplié.

Mais c'était comme si Conrad ne me voyait pas, comme s'il ne sentait pas ma main sur son torse.

— Écoute ta copine, mon petit.

— Je ne suis pas sa copine, ai-je rétorqué, en jetant un regard à Cam, qui restait impassible.

Puis je me suis tournée vers Jeremiah d'un air désespéré et il s'est approché de son pas nonchalant. Il a murmuré quelque chose à l'oreille de Conrad, qui a eu un geste d'impatience. Mais Jeremiah a tenu bon, il a poursuivi à voix basse et quand ils ont baissé les yeux sur moi, j'ai compris qu'il lui parlait de moi. Conrad a hésité avant d'acquiescer, enfin. Puis il a fait mine de décocher un coup de poing au type, qui a levé les yeux au ciel.

— Bonne nuit, pauvre tache, a lancé Conrad.

Le mec a agité la main avec mépris. J'ai poussé un lourd soupir. Cam m'a retenue par le bras comme on se dirigeait vers la voiture.

— Tu es sûre que c'est une bonne idée de rentrer avec eux ? m'a-t-il demandé.

Conrad s'est brusquement retourné.

— C'est qui, ce type ?

J'ai secoué la tête en disant à Cam :

— Ça ira, ne t'inquiète pas. Je t'appelle.

Il avait un air soucieux.

— Qui va conduire ?

— Moi, a répondu Jeremiah sans être contredit par Conrad. Ne t'en fais pas, Mister Straight Edge, je ne prends pas le volant quand j'ai bu.

J'étais gênée et j'ai vu que Cam tiquait, mais il s'est contenté d'opiner. Je l'ai rapidement serré dans mes bras, il était raide. Je ne voulais pas qu'on se quitte sur un froid.

— Merci pour la soirée, ai-je dit.

En le regardant s'éloigner, j'ai senti une pointe d'amertume — Conrad et son fichu caractère avaient gâché mon premier vrai rendez-vous. C'était injuste.

— Attendez-moi, nous a lancé Jeremiah. J'ai oublié ma casquette, je reviens tout de suite.

— Dépêche-toi, ai-je rétorqué.

Nous sommes montés dans la voiture en silence. Il y régnait un calme inquiétant. Il était à peine plus d'une heure du matin, mais j'avais l'impression qu'il en était quatre et que le reste du monde était endormi. Conrad s'est allongé sur la banquette arrière, soudain vidé de toute son énergie. Je me suis assise devant en posant mes pieds nus sur le tableau de bord et en m'affalant dans le siège. Aucun de nous n'a décroché un mot. Il m'avait fait peur, j'avais eu l'impression de ne plus le connaître. Je me suis sentie très fatiguée.

Mes cheveux pendaient sur le côté du fauteuil et, soudain, Conrad y a passé les doigts. Je crois que j'ai arrêté de respirer. Le silence était parfait, et Conrad Fisher jouait avec mes cheveux.

— On dirait une petite fille, tu es toujours décoiffée, a-t-il dit doucement.

J'ai frissonné, sa voix était pareille au bruit de l'océan qui reflue sur le sable.

Je n'ai rien répondu. Je ne l'ai même pas regardé. Je ne voulais pas l'effrayer. C'était comme cette fois où j'avais eu une fièvre de cheval, où tout m'avait paru brumeux et irréel. Je savais seulement que je ne voulais pas qu'il arrête.

Mais il a fini par le faire. Je lui ai jeté un coup d'œil dans le rétroviseur. Il a fermé les paupières en soupirant. Je l'ai imité.

– Belly... a-t-il commencé.

Subitement, tous mes sens ont été en alerte. La sensation de flottement s'était envolée ; la moindre parcelle de mon corps était en éveil. Je retenais mon souffle dans l'attente de ce qui allait suivre. Je n'ai pas bronché, pour ne pas rompre le charme.

Jeremiah a choisi ce moment-là pour arriver. Il a claqué la portière derrière lui et la magie entre Conrad et moi, si fragile et fugace, s'est brisée. C'était fini. Il ne servirait à rien de chercher à imaginer ce qu'il s'apprêtait à dire. Une fois dissipée, la magie ne revient pas.

Jeremiah m'a dévisagée d'un air interrogateur. Il avait compris qu'il avait interrompu quelque chose. J'ai haussé les épaules et il s'est détourné pour démarrer la voiture.

J'ai allumé la radio et monté le volume, à fond.

Tout le long du trajet, il y a eu une tension bizarre entre nous. Nous avons gardé le silence – Conrad, inconscient sur la banquette arrière, Jeremiah et moi le regard fixé droit devant nous. C'est Jeremiah qui l'a rompu au moment de se garer. Il a lancé d'une voix très sèche pour lui :

– Ne laisse pas maman te voir dans cet état.

À cet instant seulement, je me suis rendu compte que Conrad était si ivre mort qu'il ne pouvait pas vraiment être tenu pour responsable de ses propos ou de ses actes. Il ne s'en souviendrait probablement pas le lendemain. Ce serait comme si ce n'était jamais arrivé.

Dès que nous avons franchi le seuil de la maison, j'ai filé dans ma chambre. Je voulais oublier ce qui s'était passé dans la voiture et me souvenir seulement de la façon dont Cam m'avait regardée, dans l'escalier, la main posée sur mon épaule.

Chapitre vingt-quatre

15 ans

Le lendemain, rien. Il ne m'a même pas ignorée, ça aurait été un signe, une preuve que c'était bien arrivé, que quelque chose avait changé. Non, il m'a traitée comme toujours, comme la petite Belly, avec sa queue-de-cheval emmêlée et ses genoux écorchés, qui leur courait après sur la plage. J'aurais dû m'en douter.

Seulement, qu'il s'éloigne ou qu'il se rapproche, moi, j'allais toujours dans la même direction : vers lui.

Cam ne m'a pas fait signe pendant quelques jours ; je ne pouvais pas le lui reprocher. Je n'ai pas décroché mon téléphone non plus, même si l'idée m'a effleurée – je ne savais pas quoi lui dire.

Lorsqu'il a fini par appeler, il n'a pas mentionné la soirée. Il m'a proposé d'aller au drive-in et j'ai accepté. Aussitôt après, pourtant, j'ai commencé à m'inquiéter : est-ce que ça signifiait qu'on allait devoir sortir ensemble ? Pas seulement s'embrasser, je veux dire... Le genre de flirt qui couvre les vitres de buée, le genre de flirt où les sièges se retrouvent en position presque horizontale...

C'était bien ce que faisaient les gens au drive-in, non ? Il y avait les familles, qui venaient pour le film, et puis il y avait les couples, qui se garaient au fond. Je n'avais jamais appartenu à cette seconde catégorie. J'y étais toujours allée avec Susannah, ma mère et les garçons, jamais pour un rendez-vous.

Une fois, Jeremiah, Steven et moi, on avait espionné Conrad avec une de ses copines. Susannah avait laissé Jeremiah conduire, alors qu'il n'avait pas encore son permis. Le drive-in était à cinq kilomètres et, à Cousins, tout le monde prenait le volant, même des gamins sur les genoux de leurs parents, parfois. Conrad avait piqué une colère en nous surprenant. Il se dirigeait vers la buvette lorsqu'il nous avait aperçus. Il nous avait hurlé dessus – il était ébouriffé et ses lèvres rougies brillaient. Jeremiah s'était tordu de rire, on s'était bien amusés.

J'aurais aimé que Steven et Jeremiah soient cachés quelque part dans l'obscurité pour m'espionner et se payer ma tête. Ça m'aurait réconfortée. Ça m'aurait rassurée.

Je portais le sweat-shirt de Cam et j'avais remonté la fermeture Éclair tout en haut. J'ai gardé les bras croisés sur la poitrine, comme si j'avais froid. J'avais beau apprécier la compagnie de Cam, j'avais beau être contente d'être avec lui, arrivée au drive-in, j'ai eu subitement envie de prendre mes jambes à mon cou et de rentrer à la maison. Je n'avais embrassé qu'un seul garçon et je n'étais même pas sûre que ça comptait vraiment. Taylor me surnommait la bonne sœur. Peut-être qu'elle avait raison, au fond, peut-être que ma place était dans un couvent. Je ne savais même pas si j'avais un vrai rancard avec Cam. Et si je l'avais tellement déçu l'autre soir qu'il voulait juste qu'on reste amis ?

Cam a joué avec le bouton de la radio jusqu'à trouver la station qu'il cherchait. En tambourinant sur le volant, il m'a demandé :

– Tu veux du pop-corn ou quelque chose ?

Ça me tentait bien, mais comme je ne voulais pas avoir un truc coincé entre les dents j'ai dit non.

Le film l'a complètement absorbé ; parfois, il se penchait en avant pour mieux voir. C'était un vieux film d'horreur, très connu d'après lui ; moi, je n'en avais jamais entendu parler. Je regardais l'écran d'un œil distrait de toute façon – j'étais beaucoup plus intéressée par Cam que par le film. Il s'humectait souvent les lèvres. Et il ne se tournait pas vers moi pendant les moments drôles comme le faisait Jeremiah, il restait bien de son côté, appuyé contre la portière, aussi loin que possible de moi.

Lorsque le film s'est terminé, il a fait démarrer la voiture.

– Prête ?

J'ai aussitôt senti la déception m'envahir : il me raccompagnait déjà. Il ne m'emmènerait pas chez Scoops pour m'offrir un cône glacé ou partager un sundae au caramel. Notre rendez-vous, à supposer qu'il s'agisse bien de ça, avait été un échec. Il n'avait pas essayé de m'embrasser une seule fois. C'est vrai, je n'étais pas sûre que je l'aurais laissé faire. N'empêche, il aurait au moins pu essayer.

— Mm-mmm, ai-je répondu.

J'avais envie de pleurer, sans comprendre pourquoi – je n'étais même pas certaine de mes sentiments.

On a roulé en silence. Il a garé la voiture devant la maison et j'ai retenu mon souffle, la main sur la poignée de la portière, en attendant de voir s'il coupait le moteur ou non. Il a tourné la clé de contact et s'est laissé aller contre l'appuie-tête.

— Tu sais comment je me souviens de toi ? a-t-il demandé subitement.

Sa question m'a tellement prise au dépourvu qu'il m'a fallu un peu de temps pour comprendre de quoi il parlait.

— Depuis le congrès de latin, tu veux dire ?

— Ouais.

— À cause de ma maquette du Colisée ?

Je ne plaisantais qu'à moitié ; Steven m'avait aidée à la construire, elle était très impressionnante.

— Non, a-t-il répondu en se passant une main dans les cheveux et en évitant toujours mon regard. C'est parce que je t'avais trouvée très jolie. Je crois bien que tu étais la plus jolie fille que j'avais jamais vue.

Je me suis esclaffée. Mon rire a résonné dans l'habitacle.

— Ouais, c'est ça. Bien tenté, Sextus.

— Je suis sérieux, a-t-il insisté d'une voix plus forte.

— Tu racontes n'importe quoi.

C'était impossible. Je refusais de m'autoriser à penser que c'était possible. Les garçons m'avaient habituée à faire toujours suivre leurs compliments d'une bonne blague.

Il a secoué la tête, les lèvres pincées : il était vexé que je ne le croie pas. Ce n'était pas mon intention, pourtant. Simplement, je ne voyais pas comment ça pouvait être vrai. C'était presque cruel d'inventer un mensonge pareil. Je me rappelais très bien l'allure que j'avais à cette époque, je n'étais pas la plus jolie fille que *personne* ait jamais vue, entre mes grosses lunettes, mes joues pleines et ma silhouette de petite fille.

Cam a plongé ses yeux dans les miens avant de reprendre :

– Le premier jour, tu portais une robe bleue, en velours ou un truc dans le genre. Elle faisait ressortir le bleu de tes yeux.

– Mes yeux sont gris.

– Oui, mais avec cette robe ils paraissaient bleus.

Je la portais pour cette raison. C'était ma préférée. Je me suis demandé où elle était maintenant... Sans doute rangée au grenier, à la maison, avec mes affaires d'hiver. Elle était trop petite pour moi, de toute manière.

Sa façon de me dévisager en attendant ma réaction le rendait irrésistible. Ses joues avaient rosi. La bouche sèche, je lui ai demandé :

– Pourquoi n'es-tu pas venu me voir ?

– Tu étais tout le temps fourrée avec tes amis, a-t-il répondu en haussant les épaules. Je t'ai observée toute la semaine en espérant trouver le courage de t'aborder. Je n'en suis pas revenu quand je t'ai aperçue sur la plage, l'autre soir. C'est dingue, non ?

Il s'est marré, mais j'ai senti qu'il était gêné.

– Complètement dingue, ai-je rétorqué.

Je n'arrivais pas à croire qu'il m'ait remarquée. Qui pouvait s'intéresser à moi quand Taylor était dans les parages ?

– J'ai failli saborder mon oral pour te laisser gagner, a-t-il dit en se penchant légèrement vers moi.

– Je suis contente que tu ne l'aies pas fait, ai-je répondu en posant une main tremblante sur son bras. Et je regrette que tu ne sois pas venu me parler.

Il a alors incliné la tête vers moi et m'a embrassée. Je n'ai pas lâché la poignée de la portière. Une seule pensée m'obnubilait : *si seulement ça pouvait être mon premier baiser...*

Chapitre vingt-cinq

15 ans

Quand je suis rentrée, j'étais sur mon petit nuage. Je me repassais en boucle ce qui venait d'arriver. Puis j'ai entendu Susannah et ma mère se disputer dans le salon. La peur m'a étreinte, j'ai eu l'impression qu'un poing s'était refermé sur mon cœur. Elles ne se mettaient jamais en colère, pas sérieusement en tout cas. Je ne les avais vues s'emporter qu'une seule fois, l'été précédent. Nous étions toutes les trois parties faire du shopping à une heure de Cousins. C'était un endroit chic, le genre où les gens traînaient en laisse des chiens minuscules affublés de vêtements ridicules. J'avais repéré une robe magnifique – en mousseline de soie prune avec des bretelles qui dégageaient les épaules, ce que j'étais trop jeune pour porter. Susannah m'avait convaincue de l'essayer pour le plaisir. Au premier coup d'œil, elle avait décrété qu'il me la fallait absolument. Ma mère avait aussitôt secoué la tête.

– Elle a quatorze ans. Quand veux-tu qu'elle porte une robe de ce genre ?

Susannah avait répliqué que ça n'avait pas d'importance, que cette robe était faite pour moi. Je savais que nous n'avions pas les moyens de l'acheter, ma mère venait de divorcer, mais j'ai quand même appuyé Susannah. J'ai été jusqu'à supplier. Elles ont commencé à se disputer en plein milieu de la boutique, devant tout le monde. Susannah voulait me l'offrir, mais ma mère a refusé. Je leur ai dit de laisser tomber, que je n'en avais plus envie, alors que c'était faux. Ma mère avait raison, je n'aurais pas l'occasion de la mettre.

À la fin de l'été, au retour de Cousins, je l'ai trouvée dans ma valise, soigneusement enveloppée dans du papier de soie, comme si je l'y avais moi-même rangée. Susannah était retournée à la boutique pour l'acheter. C'était tout elle. Ma mère a sans doute fini par la découvrir dans ma penderie, mais elle n'a jamais rien dit.

Plantée dans l'entrée, l'oreille tendue pour écouter leur conversation, je me faisais l'impression d'être la fouineuse que Steven m'accusait d'être. Mais je ne pouvais pas m'en empêcher.

– Laurel, je suis une grande fille maintenant ! a crié Susannah. Il faut que tu arrêtes de vouloir régenter ma vie. C'est à moi de décider !

Je n'ai pas attendu la réponse de ma mère. Je suis entrée dans le salon en lançant :

– Qu'est-ce qui se passe ?

J'ai posé la question en regardant ma mère – je devais donner l'impression de la tenir pour responsable de la situation, mais je m'en fichais.

— Rien, tout va bien, a-t-elle dit.

Mais elle avait les yeux rougis et l'air fatigué.

— Pourquoi vous vous battez alors ?

— On ne se bat pas, chérie, m'a rassurée Susannah.

Elle a passé une main sur mon épaule, comme si elle cherchait à lisser le tissu qui la recouvrait.

— Tout va très bien, a-t-elle insisté.

— Ce n'est pas l'impression que ça donnait.

— C'est pourtant le cas, a-t-elle poursuivi.

— Vous me le jurez ? ai-je demandé.

J'avais envie de la croire.

— Je te le jure, a-t-elle répondu sans hésitation.

Ma mère s'est éloignée, j'ai compris à la raideur de ses épaules qu'il y avait bien un problème et qu'elle était en colère. Mais comme je voulais rester auprès de Susannah, avec qui tout allait toujours bien, je ne l'ai pas suivie. Ma mère était du genre à préférer être seule, de toute façon. Mon père était bien placé pour le savoir.

— Qu'est-ce qu'elle a ? ai-je chuchoté à Susannah.

— Rien. Raconte-moi ta soirée avec Cam, a-t-elle dit en m'entraînant sur la véranda.

J'aurais dû insister, j'aurais dû essayer de lui tirer les vers du nez, mais mon inquiétude se dissipait déjà et j'avais envie de lui parler de Cam, de tout lui raconter. Susannah inspirait ce genre de confidences, on avait envie de lui confier ses secrets, et davantage.

Nous nous sommes assises sur le canapé en osier et elle m'a fait signe de poser la tête sur ses genoux. Elle m'a caressé le front en écartant quelques mèches de cheveux. Je me sentais bien, en sécurité, c'était comme si la dispute n'avait pas eu lieu. Peut-être que ce n'était pas une dispute, après tout, peut-être que j'avais mal interprété leur échange.

— Il est différent des garçons que j'ai rencontrés, ai-je commencé.

— Comment ça ?

— Il est intelligent et il se fiche de l'opinion des autres. Et il est si beau... Je n'en reviens pas qu'il s'intéresse à moi.

Susannah a secoué la tête.

— Voyons, Belly, évidemment qu'il s'intéresse à toi ! Tu es adorable, trésor. Tu t'es vraiment épanouie cet été ; il faudrait être aveugle pour ne pas te remarquer.

— C'est ça ! ai-je rétorqué, même si j'étais flattée.

Susannah avait ce don, elle vous donnait le sentiment d'être quelqu'un de spécial.

— Je suis contente de pouvoir en parler avec toi, ai-je repris.

— Moi aussi. Mais tu sais, tu pourrais aussi en discuter avec ta mère.

— Ça ne la passionnerait pas... Elle m'écouterait attentivement, mais au fond elle n'en aurait rien à faire.

— Belly ! Ce n'est pas vrai ! Bien sûr qu'elle en aurait quelque chose à faire, a-t-elle rétorqué en me prenant le visage. Ta mère est ta plus grande fan après moi, elle s'intéresse à tout ce qui te touche. Ne l'exclus pas de ta vie.

Je n'avais aucune envie de m'étendre sur ce sujet, une seule chose m'importait : Cam.

– Tu ne croiras jamais ce qu'il m'a dit ce soir... ai-je repris.

Chapitre vingt-six

15 ans

Sans prévenir, le mois de juillet a cédé la place au mois d'août. J'imagine que le temps file beaucoup plus vite lorsqu'on le passe avec quelqu'un. Pour moi, ce quelqu'un s'appelait Cam. Cam Cameron.

M. Fisher venait toujours la première semaine d'août. Il apportait des croissants aux amandes et des chocolats à la lavande pour Susannah. Sans oublier les fleurs. Il apportait systématiquement des fleurs. Susannah les adorait. Elle disait qu'elle en avait besoin comme elle avait besoin d'air. Elle avait tellement de vases que j'avais perdu le compte, des grands, des larges, des transparents. Elle plaçait des bouquets dans toute la maison, dans chaque pièce. Les pivoines étaient ses préférées : elle en mettait sur sa table de nuit pour que ce soit la première chose qu'elle voie au réveil.

Elle avait aussi une passion pour les coquillages. Elle les exposait dans des verres à pied. Dès qu'elle sortait faire une balade sur la plage, elle en rapportait plein ses poches. Elle les étalait sur la table de la cuisine pour les admirer en disant : « Est-ce que celui-ci ne ressemble pas à une oreille ? » ou « Celui-ci n'est-il pas d'une nuance de rose parfaite ? » Puis elle les rangeait par tailles, du plus grand au plus petit. C'était l'un de ses rituels et j'adorais la regarder faire.

Cette semaine-là, celle où M. Fisher aurait dû nous rejoindre, Susannah a expliqué qu'il n'avait pas pu se libérer à cause de son travail. Il y avait eu une urgence à la banque. On passerait la fin de l'été tous les cinq. Ce serait la première année sans M. Fisher et sans mon frère.

Susannah est montée se coucher de bonne heure ce soir-là. Peu de temps après son départ, Conrad a lâché dans la conversation :

– Ils vont divorcer.

– Qui ça ?

– Mes parents. Il était temps, de toute façon.

Jeremiah l'a fusillé du regard.

– La ferme, Conrad.

– Pourquoi ? a-t-il demandé en haussant les épaules. Tu sais bien que c'est vrai. Belly n'est même pas surprise. Hein, Belly ?

Mais j'étais très surprise, au contraire.

– J'avais l'impression qu'ils étaient amoureux.

Je ne connaissais peut-être pas grand-chose à l'amour, mais j'avais la certitude que M. Fisher et Susannah s'aimaient. Puissance mille. Il suffisait de voir les regards qu'ils s'échangeaient pendant le dîner, la joie de Susannah quand il arrivait dans la maison de vacances. Je ne pensais pas que des gens comme eux pouvaient divorcer. Mes parents, oui. Mais pas Susannah et M. Fisher.

– Ils étaient amoureux, a répété Jeremiah. Je ne comprends pas ce qui est arrivé.

– Papa est un naze, voilà ce qui est arrivé, a rétorqué Conrad en se levant.

Il avait beau affecter l'indifférence et le détachement, je voyais bien que quelque chose n'allait pas. Il avait toujours adoré M. Fisher. Est-ce que, comme mon père, il avait rencontré une autre femme ? Est-ce qu'il avait trompé Susannah ? Ça paraissait impossible qu'on puisse vouloir la tromper...

– Ne dis rien à ta mère, m'a demandé Jeremiah. Maman ne sait pas qu'on est au courant.

– Promis.

Comment l'avaient-ils appris alors ? Quand nos parents s'étaient séparés, ils nous avaient fait asseoir, Steven et moi, pour nous l'annoncer et ils avaient répondu à toutes nos questions.

Une fois Conrad parti, Jeremiah m'a expliqué :

– Plusieurs semaines avant notre départ, notre père s'est installé dans la chambre d'amis. Il a même déménagé certaines de ses affaires. Ils nous prennent vraiment pour des abrutis s'ils pensent qu'on n'a rien remarqué...

Sa voix s'est brisée sur la fin de la phrase, je lui ai serré la main. Il avait réellement de la peine. Conrad aussi, sans doute, même s'il ne le montrait pas. Tout s'est soudain éclairé. C'était parce qu'il souffrait que Conrad était distant, qu'il n'était plus lui-même. Et quant à Susannah, si elle avait passé tellement de temps dans sa chambre, si elle semblait si triste, c'était pour la même raison : elle avait du chagrin, elle aussi.

Chapitre vingt-sept

15 ans

– Tu passes beaucoup de temps avec Cam, a dit ma mère en me lançant un regard par-dessus son journal.

– Pas tant que ça, ai-je répondu même si elle avait raison.

Les journées se succédaient sans que je m'en rende compte. J'avais du mal à réaliser que je sortais avec Cam depuis deux semaines déjà, que j'avais un copain. On se voyait quasiment tous les jours. Je me suis demandé à quoi j'avais bien pu occuper mon temps avant de le connaître. Ma vie devait être sacrément ennuyeuse.

– Tu nous manques, tu sais, a ajouté ma mère.

Dans la bouche de Susannah, ça m'aurait flattée, mais dans celle de ma mère, ça m'a agacée. Je l'ai pris comme un reproche. Surtout qu'elles étaient toujours en vadrouille, elles aussi, cette année.

– Et si tu invitais ton ami à dîner demain soir, Belly ? a ajouté Susannah d'une voix douce.

J'aurais voulu refuser, mais j'étais incapable de dire non à Susannah. Surtout depuis que je savais qu'elle allait divorcer. Il m'était impossible de la contrarier.

– Euh... pourquoi pas...

– S'il te plaît, trésor... J'aimerais beaucoup le rencontrer.

J'ai cédé :

– Entendu, je le lui proposerai. Mais je ne vous promets rien, il est peut-être déjà pris.

– Demande-lui toujours, a répondu Susannah en hochant la tête d'un air confiant.

Malheureusement pour moi, Cam était libre.

C'est Susannah qui a cuisiné. Elle a préparé une poêlée de tofu parce que Cam était végétarien. C'était une des choses que j'admirais chez lui, mais dès que j'ai vu le regard de Jeremiah je n'ai pas pu m'empêcher de revoir mon jugement. Il s'est fait un hamburger – toute excuse était bonne pour sortir le gril, il était comme son père. Il m'en a proposé un et j'ai refusé même si j'en avais envie.

Conrad avait déjà mangé et était monté jouer de la guitare dans sa chambre. Il ne s'était même pas donné la peine de dîner avec nous. Quand il est descendu chercher une bouteille d'eau, il n'a pas salué Cam.

– Pourquoi tu ne manges pas de viande, Cam ? a demandé Jeremiah en enfournant la moitié de son hamburger.

Cam a avalé une gorgée d'eau avant de répondre :

– Je suis moralement opposé à l'idée d'ingurgiter des animaux.

– Mais Belly le fait bien, elle, a rétorqué Jeremiah d'un air sérieux. Ça ne te dérange pas de l'embrasser ? a-t-il ajouté avant d'éclater de rire.

Susannah et ma mère ont échangé un sourire entendu. J'ai piqué un fard et j'ai senti Cam se crisper à côté de moi.

– Tais-toi, Jeremiah, ai-je lancé.

Cam a jeté un coup d'œil à ma mère en riant d'un air gêné.

– Je ne porte aucun jugement sur les autres, c'est un choix personnel.

– Ça t'est donc égal si ses lèvres entrent en contact avec un animal mort avant de toucher les tiennes ?

Susannah a gloussé avant d'intervenir :

– Jer', lâche-lui les baskets !

– Ouais, Jer', lâche-lui les baskets ! ai-je répété en le fusillant du regard.

Je lui ai décoché un coup de pied sous la table, de toutes mes forces. Il a tressailli.

– Aucun problème, a dit Cam, ça ne me dérange pas. D'ailleurs...

Au lieu de finir sa phrase, il m'a attirée vers lui et m'a embrassée devant tout le monde. C'était un petit bisou de rien du tout, mais j'aurais voulu disparaître sous terre.

– N'embrasse pas Belly à table, je t'en supplie ! s'est écrié Jeremiah en faisant mine d'avoir la nausée. Tu vas me rendre malade !

Ma mère a secoué la tête en lui disant :

— Belly est autorisée à l'embrasser. Mais c'est tout, a-t-elle ajouté en pointant sa fourchette dans la direction de Cam.

Elle a immédiatement éclaté de rire, comme si elle n'avait jamais rien sorti d'aussi poilant, et Susannah s'est efforcée de garder son calme tout en lui demandant de se taire. J'aurais pu la tuer. Et ensuite je me serais suicidée.

— Maman ! S'il te plaît... Tu n'es vraiment pas drôle. Ne lui servez plus de vin, ai-je ajouté.

J'étais incapable d'affronter le regard de Jeremiah ou de Cam.

De toute façon, nous n'avions pas fait grand-chose d'autre à part nous embrasser. Il n'avait pas l'air très pressé. Il se montrait très attentionné et très tendre, voire nerveux parfois. À ce que j'en avais vu, il était différent des autres garçons. L'été d'avant, j'avais surpris Jeremiah avec une fille sur la plage, juste devant la maison. Leurs mouvements étaient frénétiques, on aurait dit que s'ils n'avaient pas été habillés, ils auraient déjà été en train de faire l'amour. Je m'étais payé sa tête le restant des vacances, mais ça ne l'avait pas vraiment atteint. J'aurais aimé que Cam soit un peu plus entreprenant.

— Je plaisante, Belly. Je suis la première à souhaiter que tu fasses tes expériences, a repris ma mère en avalant une longue gorgée de chardonnay.

Jeremiah a éclaté de rire. Je me suis levée en déclarant :

— Ça suffit ! Cam et moi, nous allons dîner sur la véranda.

J'ai pris mon assiette et attendu que Cam quitte la table à son tour. Mais il n'a pas bougé.

— Détends-toi, Belly. Ils plaisantent, a-t-il dit en avalant une bouchée.

— Bien joué, mec, tu la mènes à la baguette, a dit Jeremiah en acquiesçant d'un air admiratif.

Je me suis rassise, même si l'humiliation était cuisante. Je détestais perdre la face, mais je savais que si je sortais, personne ne me courrait après. Je redeviendrais Belly-Bella qui faisait du boudi bouda dans son coin. Steven avait inventé ce surnom quand j'étais petite, il en était super fier.

— Personne ne me mène à la baguette, Jeremiah. Particulièrement pas Cam Cameron.

Tout le monde s'est esclaffé, même Cam, et l'atmosphère s'est subitement détendue. Je me suis décrispée. Tout irait bien. Très bien, même. Cet été serait incroyable, comme Susannah l'avait prédit.

Après le dîner, Cam et moi nous sommes baladés sur la plage. Pour moi, il n'y avait – il n'y a – rien de mieux qu'une promenade au bord de la mer la nuit. J'ai l'impression de pouvoir marcher indéfiniment, comme si le ciel et l'océan m'appartenaient. Je me sens capable de confier n'importe quoi. Dans l'obscurité, on se sent plus proche des gens, il n'y a plus de tabous.

— Je suis vraiment contente que tu sois venu, Cam.

— Moi aussi, a-t-il répondu en me prenant la main. Je suis content que tu sois contente.

— Bien sûr que je suis contente.

Je lui ai lâché la main pour retrousser le bas de mon jean et il a repris :

— Ce n'est pas l'impression que tu donnais, pourtant.

— Mais c'est le cas, ai-je répondu en levant les yeux sur lui.

Je l'ai embrassé avant d'ajouter :

— Tiens, voilà une preuve que je suis contente.

Il a souri et nous sommes repartis.

— Tant mieux. Alors, lequel des deux t'a donné ton premier baiser ?

— Je t'ai raconté ça ?

— Oui, tu as dit que tu avais embrassé un garçon pour la première fois l'été de tes treize ans.

— Ah... ai-je rétorqué en examinant son visage au clair de lune et en y découvrant un sourire. Devine !

— Le plus âgé, Conrad, a-t-il aussitôt répondu.

— Qu'est-ce qui te fait penser ça ?

— Juste une impression, a-t-il dit en haussant les épaules, sans doute sa façon de te regarder.

— Il ne me regarde presque jamais ! Et tu as tout faux, Sextus, c'était Jeremiah.

Chapitre vingt-huit

13 ans

— Action ou vérité, Conrad ? a demandé Taylor.

— Je ne joue pas.

Taylor a fait la moue.

— Ce que tu peux être nul...

— Pas la peine de l'insulter, est intervenu Jeremiah.

Taylor a ouvert et refermé la bouche avant de parvenir à articuler :

— Je ne l'insultais pas, Jeremy, je plaisantais.

— Il existe d'autres façons de plaisanter, non ?

Son ton était sarcastique, mais au moins il ne l'ignorait pas, elle. Il était sans doute en pétard parce que Taylor accordait beaucoup d'attention à Conrad ce jour-là.

Elle a poussé un lourd soupir avant de reprendre :

— Tu n'es vraiment pas sympa, Conrad. Viens jouer avec nous !

Après avoir monté le volume de la télé, il a dirigé la télécommande dans sa direction et a appuyé sur la touche silence pour la faire taire. J'ai éclaté de rire.

– Si tu le prends comme ça... Alors, Steven, action ou vérité ?

Mon frère a levé les yeux au ciel avant de répondre :

– Vérité.

Le regard de Taylor s'est illuminé.

– D'accord. Jusqu'où as-tu été avec Claire Cho ?

Je savais qu'elle se le demandait depuis longtemps et qu'elle attendait le moment idéal pour poser la question. Steven était sorti avec Claire Cho pendant l'essentiel de sa troisième. Taylor trouvait qu'elle avait des jambes comme des poteaux, mais moi, elles me semblaient parfaites. Claire Cho me semblait parfaite de la tête aux pieds.

Steven a rougi.

– Je ne répondrai pas à ça.

– Tu es obligé, ce sont les règles. Tu ne peux pas rester assis là à écouter les confessions des autres puis te défiler, ai-je rétorqué.

Moi aussi, je me posais la question, pour Claire et lui.

– Personne n'a encore raconté de secret ! a-t-il protesté.

– Un peu de patience, Steven, a répliqué Taylor. Maintenant, comporte-toi comme un homme et dis-nous tout.

– Ouais, Steven, sois un homme, a glissé Jeremiah.

On s'est tous mis à scander : « Sois un homme ! Sois un homme ! » Conrad a même coupé le son de la télé pour entendre la réponse.

– D'accord, a cédé Steven, fermez-la et je vous le dirai.

On s'est aussitôt tus.

– Alors ? ai-je demandé après un moment d'attente.

– On a presque été jusqu'au bout, a-t-il fini par lâcher.

Je me suis détendue. *Presque.* Waouh ! Mon frère avait failli le faire. C'était bizarre, et un peu dégoûtant.

Taylor avait rosi de plaisir.

– Bien joué, Stevie.

Il l'a considérée d'un air condescendant avant de lancer :

– À mon tour, maintenant.

Il a parcouru la pièce du regard et je me suis tassée dans le canapé. J'ai prié pour qu'il ne me choisisse pas et ne me force pas à avouer que je n'avais même pas encore embrassé un garçon. Le connaissant, il n'hésiterait pas. À ma surprise, ce n'est pas tombé sur moi.

– Taylor. Action ou vérité ?

Elle a répondu du tac au tac :

– Tu n'as pas le droit de me choisir, je viens de te poser une question. Tu es obligé de prendre quelqu'un d'autre.

C'était effectivement la règle.

– Est-ce que tu aurais la frousse, Tay-Tay ? Pourquoi tu ne te comportes pas comme un homme ?

Après avoir tergiversé, elle a répondu :

– Très bien. Vérité.

Avec un sourire diabolique, Steven a demandé :

– Quelle personne as-tu le plus envie d'embrasser dans cette pièce ?

Taylor a réfléchi quelques secondes avant d'afficher une expression malicieuse. Elle faisait exactement la même tête lorsqu'elle avait teint les cheveux de sa petite sœur en bleu l'année de nos huit ans. Elle s'est assurée d'avoir l'attention de tous avant de lâcher d'un air triomphal :

– Belly.

Un silence de surprise est tombé sur la pièce pendant une minute, puis tout le monde a éclaté de rire, Conrad le premier. J'ai jeté un coussin dans la direction de Taylor, de toutes mes forces.

– C'est pas juste, tu dois répondre sérieusement, a dit Jeremiah en agitant vers elle un index menaçant.

– Bien sûr que c'est sérieux, a-t-elle rétorqué d'un air suffisant. C'est vraiment Belly. Regarde un peu mieux la petite sœur préférée de tout le monde, Jeremy. Tu ne vois même pas qu'elle est en train de devenir canon.

J'ai enfoui mon visage dans un coussin, je devais être plus rouge que Steven. Taylor racontait n'importe quoi et tout le monde le savait.

– Taylor, tais-toi. Je t'en prie, tais-toi.

– Oui, de grâce, tais-toi, Tay-Tay, a ajouté Steven.

Il avait piqué un léger fard, lui aussi.

– Si tu es sérieuse, alors embrasse-la ! a dit Conrad, les yeux toujours rivés sur l'écran.

– Eh ! me suis-je écriée en lui jetant un regard noir. Je suis là ! Personne ne m'embrassera sans ma permission.

Il s'est tourné vers moi.

– Ce n'est pas moi qui en ai envie.

— Peu importe, vous n'avez ni l'un ni l'autre la permission ! ai-je rétorqué vivement.

J'aurais aimé pouvoir lui tirer la langue sans risquer de passer pour un gros bébé.

— J'ai choisi vérité, est intervenue Taylor, pas action. Donc je ne l'embrasserai pas.

— Tu ne m'embrasseras pas parce que je ne veux pas, ai-je dit.

J'étais dans un état étrange, partagée entre la colère et la satisfaction – j'étais un peu flattée, malgré tout.

— Le sujet est clos. C'est à ton tour de jouer, Taylor.

— Très bien. Jeremiah, action ou vérité ?

— Action, a-t-il dit en s'adossant nonchalamment au canapé.

— D'accord. Embrasse une personne de cette pièce ! a-t-elle lancé en le regardant d'un air confiant.

Le temps s'est comme suspendu pendant que nous attendions la réaction de Jeremiah. Allait-il obtempérer ? Il n'était pas du genre à se dégonfler. J'étais impatiente de savoir s'il lui roulerait une pelle ou s'il lui ferait juste un petit smack. Je me demandais si ce serait leur première fois ou s'ils s'étaient déjà embrassés plus tôt dans la semaine, quand j'avais le dos tourné. J'étais convaincue que c'était le cas.

— Facile, a fini par dire Jeremiah en se redressant puis en se frottant les mains, avec un sourire.

Taylor lui a rendu son sourire avant d'incliner la tête sur le côté, de sorte que ses cheveux lui tombaient dans les yeux.

Mais c'est vers moi qu'il s'est penché en demandant :

– Prête ?

Et sans me laisser le temps de répondre, il a pressé ses lèvres contre les miennes. Elles étaient légèrement entrouvertes, mais il n'a pas mis la langue. Je n'ai pas pu le repousser et il a prolongé le baiser de quelques secondes.

Quand j'ai réussi à me dégager, il s'est carré dans le canapé comme si de rien n'était. Tout le monde le dévisageait, la bouche grande ouverte, à l'exception de Conrad, qui n'avait pas l'air surpris. Mais il n'était jamais surpris de rien. Moi, en revanche, j'avais du mal à reprendre mon souffle. Je venais d'embrasser un garçon pour la première fois. Devant des gens. Devant mon frère.

Je n'en revenais pas que Jeremiah m'ait volé mon premier baiser comme ça. Je m'étais réservée pour une occasion spéciale et ça arrivait pendant une partie d'action ou vérité ? Est-ce qu'on pouvait trouver une occasion « moins » spéciale ? Et pour couronner le tout, Jeremiah m'avait embrassée pour rendre Taylor jalouse, pas parce que je lui plaisais.

Il avait atteint son but, d'ailleurs. Les yeux de Taylor s'étaient rétrécis et elle le fixait comme s'il lui avait lancé un défi. Ce qui était précisément son intention, j'imagine.

– Beurk ! s'est écrié Steven. Ce jeu est immonde. Je me tire.

Il nous a balayés d'un regard révulsé avant de partir. Je me suis levée à mon tour et Conrad m'a suivie.

– À plus ! ai-je dit. Ah, au fait, Jeremiah ? Tu me le paieras.

— Un massage et on sera quittes, a-t-il répondu avec un clin d'œil.

Je lui ai balancé un coussin avant de claquer la porte derrière moi. Je lui en voulais encore plus de faire semblant de flirter avec moi. Sa condescendance rajoutait à mon humiliation.

Il m'a fallu environ trois secondes pour réaliser que Taylor ne m'avait pas emboîté le pas. Elle était restée dans le salon, je l'entendais rire aux blagues débiles de Jeremiah.

Dans le couloir, à l'étage, Conrad m'a lancé avec sa suffisance coutumière :

— Tu as adoré ça, reconnais-le.

— Comment est-ce que tu pourrais le savoir ? Tu es trop occupé par ta propre personne pour t'intéresser aux autres.

En s'éloignant, il a rétorqué par-dessus son épaule :

— Oh, je m'intéresse à tout le monde, Belly. Même à ta pauvre petite personne.

— Va te faire voir ! ai-je crié parce que je ne trouvais pas d'autre repartie.

Il a disparu dans sa chambre en ricanant.

Je suis allée me réfugier sous mes draps. J'ai fermé les yeux et je me suis repassé en boucle ce qui venait d'arriver. Les lèvres de Jeremiah avaient touché les miennes. J'avais le sentiment qu'elles ne m'appartenaient plus, qu'elles avaient été prises d'assaut. Par Jeremiah. Un garçon m'avait enfin embrassée, mais c'était mon ami. Un ami qui m'avait ignorée toute la semaine.

J'aurais aimé pouvoir en parler avec Taylor. J'aurais aimé pouvoir discuter de mon premier baiser avec elle et c'était impossible, parce qu'à ce moment précis elle était en bas, en train d'embrasser le garçon qui me l'avait donné. J'en avais la certitude.

Lorsqu'elle est montée, une heure plus tard, j'ai fait comme si je dormais.

– Belly ? a-t-elle chuchoté.

Je n'ai pas répondu mais j'ai bougé pour que ça fasse plus vrai.

– Je sais que tu es réveillée, Belly. Et je te pardonne.

J'aurais voulu me redresser et lui lancer : « Toi, tu me pardonnes ? Eh bien moi, je ne te pardonne pas d'être venue et d'avoir gâché mon été. » Mais je n'ai rien dit. Et j'ai continué de faire semblant de dormir.

Le lendemain matin, je me suis réveillée tôt, juste après sept heures, et Taylor n'était plus dans son lit. Je savais où elle avait disparu : elle regardait le lever du soleil sur la plage avec Jeremiah. Toute la semaine on s'était promis de le faire, elle et moi, mais on se réveillait toujours trop tard. Dans deux jours, elle partirait et c'était Jeremiah qu'elle avait emmené. On se demandait pourquoi.

J'ai enfilé mon maillot de bain et je me suis rendue à la piscine. Il faisait un peu frisquet le matin, l'air était légèrement mordant, mais ça m'était égal. Quand je me baignais à ce moment-là de la journée, j'avais l'impression de nager dans l'océan. C'est super d'avoir une maison au bord de la mer, mais l'eau salée me brûlait tellement les yeux que je ne pouvais pas y aller quotidiennement. Et puis la piscine était à moi seule. Le reste du temps elle était pleine de monde, mais le matin et le soir je n'y croisais personne à part Susannah.

Ma mère était assise sur un transat au bord du bassin, elle lisait. Enfin, plus exactement : elle avait un livre ouvert entre les mains, mais son regard était perdu dans le vide.

– Salut, maman, ai-je dit pour la tirer de sa rêverie.

Elle a relevé la tête, surprise.

– Bonjour, a-t-elle répondu après s'être éclairci la voix. Tu as bien dormi ?

J'ai haussé les épaules et déposé ma serviette sur le transat à côté du sien.

– En quelque sorte.

Ma mère a placé une main en visière sur son front pour me regarder.

– Vous vous amusez bien, Taylor et toi ?

– Oui, comme des petites folles.

– Où est-elle ?

– Aucune idée. Et aucune importance.

– Vous vous êtes disputées ?

– Non, mais je commence à regretter de l'avoir emmenée.

– C'est important d'avoir une meilleure amie, surtout pour toi qui n'as pas de sœur. Ce serait dommage de gâcher ça.

– Je n'ai rien gâché, ai-je répondu avec irritation. Pourquoi faut-il toujours que tu m'accuses ?

– Je ne t'accuse pas. Pourquoi faut-il toujours que tu te sentes visée, ma chérie ?

Elle m'a souri avec ce calme olympien dont elle ne se départait jamais. J'ai sauté dans la piscine, l'eau était glaciale. En remontant à la surface, j'ai hurlé :

– C'est faux !

Puis j'ai commencé à enchaîner les longueurs. Chaque fois que je pensais à Taylor et Jeremiah, la colère montait et j'avançais plus vite. Quand je me suis arrêtée, mes muscles me brûlaient.

Ma mère était partie, mais Taylor, Jeremiah et Steven arrivaient.

– Belly, si tu continues, tu vas finir avec des épaules de nageuse allemande, m'a prévenue Taylor en plongeant ses orteils dans l'eau pour la tester.

Je l'ai ignorée. Qu'est-ce qu'elle en savait, d'abord ? Elle considérait que faire du shopping en talons était une activité sportive.

– Vous étiez où ? ai-je demandé en me mettant sur le dos.

– Nulle part, a rétorqué Jeremiah.

Traître, ai-je pensé. Ils n'étaient rien qu'une bande de Judas...

– Et Conrad ?

– Aucune idée. Notre compagnie ne doit pas lui convenir, a-t-il dit en s'affalant dans un transat.

– Il est allé courir, a ajouté Steven d'un ton légèrement agressif. Il doit être en forme pour les sélections. Elles commencent la semaine prochaine, vous avez oublié ?

J'avais effectivement oublié que, cette année, Conrad devait rentrer plus tôt pour participer aux épreuves de sélection de son lycée. Je n'aurais jamais cru que le foot l'intéressait. M. Fisher ne devait pas être étranger à cette décision ; il aimait la compétition. Jeremiah aussi, d'ailleurs, même s'il ne la prenait pas plus au sérieux que le reste.

– Je les passerai sans doute l'année prochaine, moi aussi, a lancé Jeremiah.

Il a jeté un coup d'œil à Taylor pour voir si elle avait l'air impressionnée, mais elle ne regardait même pas dans sa direction. Les épaules de Jeremiah se sont légèrement affaissées et j'ai eu un peu de peine pour lui.

– Jer', on fait la course ?

– Si tu veux, a-t-il répondu en se levant et en retirant sa chemise.

Il s'est approché de la partie la plus profonde du bassin et a plongé.

– Je te laisse de l'avance ?

– Non, je n'ai pas besoin de ça pour te battre, ai-je dit en le rejoignant.

– Eh ! eh ! C'est ce qu'on va voir !

Il a remporté les deux premières longueurs. Mais je l'ai eu à l'usure et j'ai gagné les deux suivantes. Taylor m'encourageait, ce qui n'a fait qu'accroître mon énervement.

Le lendemain matin, elle avait à nouveau pris la poudre d'escampette. Cette fois, j'ai décidé de les rejoindre. Ce n'était pas comme si la plage leur appartenait, à Jeremiah et elle. J'avais autant le droit qu'eux d'aller regarder le soleil se lever. Je me suis habillée et j'ai filé.

Je ne les ai pas repérés tout de suite. Ils s'étaient assis un peu à l'écart et me tournaient le dos, enlacés. Il l'embrassait. Ils ne regardaient même pas le soleil. Et... ce n'était pas Jeremiah. C'était Steven. Mon frère.

J'avais l'impression d'être devant un de ces films qui se terminent par un énorme coup de théâtre ; subitement tout se mettait en place, tout s'expliquait. Ma vie ressemblait à *Usual Suspects* et Taylor était Keyser Söze. Les scènes ont défilé dans mon esprit – Taylor et Steven qui se chamaillaient sans arrêt, Steven qui avait fini par nous accompagner sur la promenade, Taylor qui prétendait que Claire Cho avait des jambes en forme de poteaux, Taylor qui était tout le temps fourrée chez moi...

Ils ne m'ont pas entendue arriver. Je me suis écriée :

– Waouh, alors d'abord Conrad, puis Jeremiah, et maintenant mon frère !

Elle s'est retournée, surprise. Steven était désarçonné, lui aussi.

– Belly... a-t-elle commencé.

– La ferme !

J'ai fusillé mon frère du regard, il n'avait pas l'air à l'aise.

– Tu n'es qu'un sale hypocrite ! ai-je poursuivi. Elle ne te plaît même pas ! Tu répètes qu'à force de se décolorer les cheveux elle a grillé toutes ses cellules grises !

Il s'est éclairci la gorge.

– Je n'ai jamais dit ça, a-t-il rétorqué tandis que son regard naviguait de l'une à l'autre.

Taylor avait les larmes aux yeux, elle s'est essuyé l'œil gauche avec la manche de son sweat-shirt. Enfin, le sweat-shirt de Steven. J'étais trop furax pour pleurer.

– Je vais le répéter à Jeremiah.

– Belly, calme-toi. Tu as passé l'âge de piquer des colères, a répliqué Steven en secouant la tête de son air de grand frère.

Les mots m'ont échappé sans que je puisse les retenir :

– Je t'emmerde !

Je n'avais jamais parlé comme ça à mon frère avant. Je n'avais jamais parlé comme ça à personne. Steven a accusé le coup.

J'ai tourné les talons et Taylor s'est élancée à ma suite. Elle devait courir tellement je marchais vite. J'avais la confirmation que la colère donne des ailes.

– Belly, je suis désolée, j'avais l'intention de te le dire. Les choses sont arrivées très vite.

Je me suis arrêtée et j'ai fait volte-face.

– Quand ? Quand sont-elles arrivées ? Parce que, de mon point de vue, c'est avec *Jeremy* que les choses sont arrivées très vite, pas avec mon grand frère.

Elle avait l'air désespérée, ce qui a encore accru ma colère. Pauvre petite Taylor.

– J'ai toujours eu un faible pour Steven, tu le sais bien, Belly.

– Eh bien, non, justement. Mais je te remercie de me l'apprendre.

– Quand j'ai vu que je lui plaisais, moi aussi, je n'en suis pas revenue. Je n'ai pas réfléchi.

– C'est bien le problème. Tu ne lui plais pas, Taylor, il se sert de toi parce que tu es là, ai-je rétorqué en tournant les talons pour rentrer à la maison.

Elle m'a poursuivie et m'a attrapée par le bras, mais je l'ai repoussée.

– Ne sois pas fâchée, Belly, s'il te plaît. Je ne veux pas que les choses changent entre nous, m'a-t-elle implorée, ses prunelles marron bordées de larmes.

Ce qu'elle me disait, en réalité, c'était : « Je ne veux pas que tu changes, toi, même si mes seins poussent, même si j'arrête le violon et même si j'embrasse ton frère. »

– Tu sais bien que c'est impossible.

Mon intention était de la blesser.

– Ne m'en veux pas, Belly, je t'en supplie ! a-t-elle insisté.

Taylor détestait qu'on soit en colère contre elle.

– Je ne t'en veux pas. Je pense simplement qu'on ne se connaît plus vraiment.

– Ne dis pas ça, Belly.

– Mais c'est la vérité.

– Je suis désolée, tu entends ?

J'ai détourné le regard une seconde.

— Tu avais promis de ne pas le faire souffrir.

— Qui ? Steven ?

Sa confusion était sincère.

— Non, Jeremiah. Tu avais promis d'être sympa.

Elle a agité la main dans les airs.

— Oh, mais il s'en fiche.

— Ouais, c'est ça... Le truc, Taylor, c'est que tu ne le connais pas.

« Pas comme moi », aurais-je voulu ajouter.

— Je n'aurais jamais cru que tu te comporterais comme... comme...

J'ai cherché le mot qui la blesserait comme elle m'avait blessée.

— Comme une salope.

— Je ne suis pas une salope, a-t-elle rétorqué d'une toute petite voix.

Voilà le pouvoir que j'avais sur elle, celui de la prétendue innocence sur la prétendue immoralité. Mais, en vérité, j'aurais échangé nos places sans une seconde d'hésitation.

Plus tard, Jeremiah m'a proposé de faire une partie de cartes. La première de l'été. Autrefois, on passait nos vacances à ça. J'étais heureuse qu'il y ait pensé, même si ce n'était qu'un prix de consolation.

Il a distribué les cartes et nous avons commencé à jouer, mais nous étions tous deux préoccupés par autre chose. J'avais le sentiment que nous avions un accord tacite nous interdisant de parler d'elle – je n'étais même pas sûre qu'il était au courant de ce qui était arrivé –, mais il a fini par lâcher :

– J'aurais préféré que tu ne l'invites pas.

– Je sais, moi aussi.

– C'est mieux quand on reste entre nous, a-t-il poursuivi en mélangeant les cartes.

– Oui.

Après son départ, après cet été-là, entre Taylor et moi, les choses n'ont plus été tout à fait les mêmes. Nous sommes restées amies, mais ce n'était plus comme avant. Enfin, nous sommes quand même restées amies. Elle me connaissait depuis toujours et on ne tire pas un trait sur son passé aussi facilement – ça reviendrait à jeter une part de soi-même.

Steven a oublié Taylor aussi sec pour s'intéresser de nouveau à Claire Cho. On a fait comme s'il ne s'était rien passé. Mais il s'était passé quelque chose.

Chapitre vingt-neuf

15 ans

Je l'ai entendu rentrer, comme tout le monde, sans doute – à l'exception de Jeremiah, qui ne serait pas réveillé par un raz-de-marée. Il a monté les escaliers d'un pas hésitant en jurant, avant de fermer la porte de sa chambre et d'allumer sa chaîne stéréo, le volume à fond. Il était trois heures du matin.

Je suis restée dans mon lit environ trois secondes avant de bondir jusqu'à sa chambre. J'ai toqué, deux fois, mais la musique était si forte qu'il ne pouvait sans doute rien entendre. J'ai ouvert la porte. Il était assis sur le bord de son lit et ôtait ses chaussures. En relevant la tête, il m'a aperçue.

– Ta mère t'a pas appris à frapper ? a-t-il demandé en allant baisser le volume.

– C'est ce que j'ai fait, tu n'as pas entendu. Tu as dû réveiller toute la maison, Conrad.

Je me suis avancée dans la pièce et j'ai refermé la porte derrière moi. Je n'étais pas venue depuis très longtemps. Sa chambre était exactement comme dans mon souvenir, parfaitement rangée. On avait toujours l'impression qu'une tornade avait traversé celle de Jeremiah. Chez Conrad, il y avait une place pour chaque chose, et chaque chose était à sa place. Ses dessins étaient affichés sur le tableau en liège, ses voitures de collection alignées sur la commode. J'étais rassurée de voir qu'il y avait au moins une chose qui n'avait pas changé.

Ses cheveux étaient en bataille, comme si quelqu'un y avait passé les mains. Sans doute la fille à la casquette.

– Est-ce que tu vas me balancer, Belly ? Tu es toujours une cafteuse ?

Je l'ai ignoré pour m'approcher de son bureau. Juste au-dessus se trouvait une photo encadrée le représentant en tenue de football, un ballon sous le bras.

– Pourquoi as-tu arrêté ?

– Ça ne m'amusait plus.

– Je croyais que tu adorais le foot.

– Non, c'était mon père qui adorait.

– Tu donnais l'impression d'aimer ça, toi aussi.

Il avait beau s'être composé un air de dur sur la photo, on voyait bien qu'il retenait un sourire.

– Pourquoi as-tu arrêté la danse ?

Je me suis tournée vers lui. Il était en train de déboutonner sa chemise blanche de serveur – il portait un tee-shirt blanc en dessous.

– Tu t'en souviens ?

– Bien sûr que je m'en souviens, tu tourbillonnais dans toute la maison comme un gnome.

— Les gnomes ne dansent pas, ai-je répondu en lui jetant un regard noir. Je ressemblais à une ballerine, pour ta gouverne.

Il a poussé un petit ricanement avant de demander :

— Pourquoi as-tu arrêté alors ?

J'avais laissé tomber les cours au moment du divorce de mes parents. Ma mère ne pouvait plus me déposer et venir me chercher deux fois par semaine – elle avait dû prendre un boulot. En prime, je commençais à en avoir assez, surtout que Taylor n'y allait plus. Et puis je ne me supportais plus dans mon justaucorps. Mes seins s'étaient mis à pousser avant ceux des autres élèves et sur la photo de groupe on aurait presque pu me confondre avec la prof. C'était horriblement gênant.

Au lieu de répondre à sa question, j'ai dit :

— J'étais super douée ! Je pourrais être dans une compagnie à l'heure qu'il est, tu sais...

Je racontais n'importe quoi. Même dans mes rêves les plus fous, je n'aurais jamais pu devenir danseuse professionnelle.

— C'est ça ! s'est-il moqué.

— Au moins, moi, je sais danser...

— Eh ! Moi aussi !

— Prouve-le, ai-je rétorqué en croisant les bras.

— Je n'ai rien à prouver. Je t'ai appris certains pas, tu as oublié ? Les jeunes n'ont aucune reconnaissance, a-t-il dit en sautant sur ses pieds et en me prenant par la main pour me faire tournoyer. Tu vois ? Je sais danser.

Son bras était enroulé autour de ma taille et il l'y a laissé le temps d'un éclat de rire.

– Je suis un meilleur danseur que toi, Belly, a-t-il conclu en s'affalant sur son lit.

Il était déroutant. Une minute il était sombre et renfermé, la suivante il valsait en s'esclaffant.

– Je n'appelle pas ça de la danse, ai-je répliqué en me dirigeant vers la porte. Et ne remets pas la musique plus fort, tu as déjà réveillé toute la maison.

Conrad avait une façon de regarder les gens, de me regarder, qui me faisait me liquéfier, qui me donnait envie de m'abandonner entièrement à lui.

– Entendu. Bonne nuit, Bells, a-t-il dit en souriant.

Bells, il ne m'avait pas appelée comme ça depuis des siècles.

Il ne me facilitait vraiment pas la tâche : c'était impossible de ne pas l'aimer, lorsqu'il était adorable. Soudain je me rappelais pourquoi je l'aimais.

Je me rappelais tout.

Chapitre trente

11 ans

À la maison de vacances, il y avait une petite pile de CD qu'on écoutait en boucle. On mettait toujours les mêmes, tout l'été. Il y avait l'album de Police que Susannah nous passait le matin, puis celui de Bob Dylan l'après-midi et enfin celui de Billie Holiday pendant le dîner. Le soir, c'était quartier libre, on se marrait bien. Jeremiah lançait son CD de Dr Dre, *Chronic*, et ma mère chantonnait tout en triant le linge. Elle détestait le gangsta rap, pourtant. Parfois, elle mettait du Aretha Franklin ensuite, et Jeremiah entonnait toutes les chansons – il les connaissait par cœur depuis le temps.

Moi, ce que je préférais, c'était la Motown et le rock californien. J'en écoutais sur le vieux walkman de Susannah en prenant le soleil. Ce soir-là, j'ai mis un disque des Beach Boys sur la chaîne dans le salon et Susannah a entraîné Jeremiah par la main. Il jouait au poker avec Steven, Conrad et ma mère, qui était une excellente joueuse.

Jeremiah a d'abord protesté avant de se prêter au jeu et de se mettre à se dandiner comme dans les années

1960. Je les ai regardés : Susannah rejetait la tête en arrière pour rire et Jeremiah la faisait tourbillonner dans la pièce. J'ai eu envie de danser moi aussi. Mes pieds me démangeaient littéralement. Je prenais des cours de classique et de modern jazz, après tout, je pourrais leur montrer combien j'étais douée.

– Stevie, tu veux bien danser avec moi ? ai-je demandé en le taquinant de mon gros orteil.

J'étais allongée par terre, sur le ventre.

– Dans tes rêves, a-t-il répondu.

Il n'aurait pas été un bon cavalier de toute façon.

– Connie, danse avec Belly ! est intervenue Susannah, tout empourprée à force de tourner dans les bras de Jeremiah.

Je n'ai pas osé jeter un coup d'œil à Conrad. Je craignais qu'on puisse lire sur mon visage à quel point je l'aimais et à quel point j'avais envie qu'il accepte.

Conrad a soupiré en me tendant la main pour m'aider à me relever – à l'époque, il avait un sens du devoir très développé.

– Regarde, a-t-il dit en faisant pivoter ses pieds d'un côté puis de l'autre. Un, deux, trois, un, deux, trois, et tu tournes.

J'ai dû m'y reprendre à plusieurs fois avant de réussir le pas. C'était plus difficile qu'il n'y paraissait et j'étais nerveuse.

– Tu n'es pas en rythme ! m'a lancé Steven.

– Ne sois pas aussi raide, Belly, c'est une danse décontractée, a ajouté ma mère depuis le canapé.

Je me suis efforcée de les ignorer et de rester concentrée sur Conrad.

– Qui t'a appris ? lui ai-je demandé.

– Ma mère, elle nous a montré quelques pas, à Jeremiah et moi.

Il m'a ensuite attirée vers lui pour m'enseigner un pas de deux. J'étais folle de joie : je n'avais jamais été aussi près de lui.

– Encore une fois, ai-je demandé en feignant d'avoir du mal à retenir le mouvement.

Il m'a expliqué à nouveau, en passant un bras autour de ma taille.

– Tu vois ? Tu as compris, maintenant.

Il m'a fait tournoyer et j'ai été prise d'un vertige de pur bonheur.

Chapitre trente et un

15 ans

J'ai passé la journée du lendemain au bord de l'océan avec Cam. On avait emporté un pique-nique. Cam avait préparé des sandwichs à l'avocat avec de la vraie mayonnaise, confectionnée par Susannah, et du pain complet ; ils étaient délicieux. On est restés dans l'eau une éternité. Chaque fois qu'une nouvelle vague approchait, on se mettait à rire comme des dingues avant qu'elle nous emporte. Le sel me brûlait les yeux et j'avais la peau irritée à force d'avoir été roulée sur le sable – pire que si je m'étais frotté le corps avec le gommage à l'abricot de ma mère –, mais je m'amusais comme une folle.

Après, nous nous sommes allongés sur nos serviettes. J'adorais rester dans l'océan jusqu'à avoir presque froid, puis me réchauffer doucement au soleil. Je pouvais répéter ce petit manège toute la journée – l'eau, le sable, l'eau, le sable...

J'avais pris des bonbons à la fraise et nous les avons engloutis si vite que j'en avais mal aux dents.

– Ce sont mes préférés ! ai-je lancé en tendant la main pour attraper le dernier.

Cam a été plus rapide.

– Moi aussi, et tu en as déjà eu trois alors que je n'en suis qu'à mon deuxième, a-t-il rétorqué en enlevant le papier.

En souriant, il a agité le bonbon au-dessus de ma tête.

– Tu as trois secondes pour me le passer, l'ai-je prévenu. Quand bien même j'en aurais mangé vingt et toi seulement deux, ça ne changerait rien. Ils viennent de ma maison.

Cam a éclaté de rire avant de fourrer le bonbon dans sa bouche. En mâchant bruyamment, il a décrété :

– Ce n'est pas la tienne, mais celle de Susannah.

– Voilà une parfaite illustration de ton ignorance : c'est notre maison, ai-je rétorqué en me laissant tomber en arrière sur ma serviette.

Je mourais de soif, soudain. Les bonbons avaient souvent cet effet. Surtout quand j'en mangeais trois en trois minutes. En le regardant à travers mes paupières plissées, je lui ai demandé :

– Est-ce que tu accepterais d'aller chez nous chercher de la grenadine ? S'il te plaît ?

– Je ne connais personne qui ingurgite autant de sucre que toi en une seule journée, a-t-il dit en secouant la tête tristement. C'est très mauvais, tu sais ?

– Venant du type qui a avalé le dernier bonbon, j'ai du mal à trouver ça convaincant.

— Je me suis sacrifié pour t'épargner, a-t-il riposté avant de se lever et de chasser le sable de son short. Je te rapporte de l'eau, pas de la grenadine.

Je lui ai tiré la langue en roulant sur le ventre.

— Dépêche-toi !

Après avoir attendu quarante-cinq minutes, je suis rentrée avec nos deux serviettes, la crème solaire et les restes du pique-nique. Je suis arrivée essoufflée et transpirant comme un chameau qui aurait traversé un désert. Il était dans le salon, en train de jouer aux jeux vidéo avec les garçons. Ils étaient tous avachis par terre, en maillot de bain – ils portaient rarement une autre tenue, l'été.

— Merci de ne pas être revenu avec ma grenadine, ai-je lâché en laissant tomber nos affaires de plage.

Cam a tourné des yeux coupables vers moi.

— Oups ! je suis désolé ! Les gars m'ont proposé de jouer et...

Il n'a pas fini sa phrase.

— Ne t'excuse pas, lui a conseillé Conrad.

— Ouais, t'es son esclave ou quoi ? Elle t'envoie chercher sa grenadine maintenant ? a ajouté Jeremiah en enfonçant son pouce sur la manette de jeu.

Il a pivoté vers moi en souriant pour me montrer qu'il plaisantait. Je ne lui ai pas rendu son sourire : je n'étais pas contente.

Conrad n'a rien dit et je ne lui ai pas accordé un seul regard. Je sentais qu'il m'observait, pourtant, et j'aurais voulu qu'il arrête.

Pourquoi est-ce que je continuais à me sentir exclue de leur petit club alors que mes propres amis y étaient acceptés, eux ? C'était injuste. C'était injuste que Cam soit aussi content de jouer avec eux. Surtout que la journée s'était bien déroulée jusqu'à présent...

– Où sont Susannah et ma mère ? ai-je demandé sèchement.

– Elles sont sorties, a répondu Jeremiah. Peut-être pour faire les boutiques.

Ma mère avait une sainte horreur du shopping, Susannah avait dû la traîner. Je me suis dirigée à grands pas vers la cuisine ; Conrad s'est levé pour me suivre. Je n'ai pas eu besoin de me retourner pour savoir que c'était lui.

Je me suis servi un immense verre de grenadine sans lui prêter la moindre attention.

– Tu comptes m'ignorer encore longtemps ? a-t-il fini par lancer.

– Non. Qu'est-ce que tu veux ?

Il a soupiré en s'approchant.

– Tu es obligée de te conduire comme ça ?

Puis il s'est penché vers moi, très près. Trop près.

– Je peux en avoir ?

J'ai posé le verre sur le comptoir et je me suis détournée pour sortir, mais il m'a retenue par le poignet. Mon cœur a failli s'arrêter.

– Allez, Bells...

Ses doigts étaient froids, comme toujours. Je me sentais fiévreuse tout à coup. J'ai retiré ma main d'un mouvement brusque.

— Laisse-moi tranquille.

— Pourquoi es-tu fâchée contre moi ?

Il ne manquait vraiment pas de toupet ! Pourtant, il semblait sincèrement perplexe et inquiet. Avec lui, les deux allaient toujours de pair — ce qu'il ne comprenait pas l'angoissait, en partie parce que ça lui arrivait rarement. En tout cas, il ne s'était jamais inquiété pour moi, je ne comptais pas suffisamment.

— Est-ce que tu en as quelque chose à fiche ?

Mon cœur tambourinait dans ma poitrine. Ma peau s'est mise à me picoter bizarrement pendant que j'attendais sa réponse.

— Oui.

Conrad a eu l'air surpris, comme s'il ne s'était pas plus attendu que moi à cette réponse.

L'ennui, c'est que je ne savais pas vraiment pourquoi j'étais fâchée. Je lui en voulais surtout, je crois, de semer le trouble dans mon cœur et ma tête. Une minute, il était gentil, et celle d'après il me battait froid. Quand j'étais avec lui, je me rappelais des choses que j'aurais préféré oublier. Ça se passait vraiment bien avec Cam, pourtant chaque fois que j'étais sûre de mes sentiments pour lui, il suffisait que Conrad me jette un regard, me fasse danser ou m'appelle Bells pour que mes certitudes s'envolent.

— Pourquoi tu ne vas pas plutôt fumer une cigarette ? ai-je rétorqué.

Les muscles de sa mâchoire ont tressailli.

— Très bien, a-t-il dit.

J'éprouvais un mélange de culpabilité et de satisfaction à avoir enfin réussi à prendre le dessus. Mais il a ajouté :

– Et toi, retourne te regarder dans le miroir !

C'était comme s'il m'avait giflée. J'étais mortifiée, j'avais l'impression d'avoir été surprise en train de faire quelque chose de mal. M'avait-il vue vérifier mon reflet dans le miroir, m'admirer ? Est-ce que tout le monde me trouvait futile et superficielle désormais ?

J'ai serré les lèvres et me suis reculée en secouant lentement la tête.

– Belly... a-t-il commencé.

Il était désolé, ça se lisait sur son visage.

Je suis retournée dans le salon sans attendre. Cam et Jeremiah m'ont dévisagée comme s'ils se doutaient de quelque chose. Peut-être nous avaient-ils entendus. Quelle importance après tout ?

– Je joue à la prochaine partie, ai-je dit.

Je me suis demandé si les amours d'enfance mouraient toujours ainsi, lentement d'abord, dans un sanglot, avant de s'évanouir comme ça, d'un coup.

Chapitre trente-deux

15 ans

Cam est revenu passer une journée avec moi et il est resté bien après le dîner. Aux alentours de minuit, je lui ai proposé d'aller faire un tour sur la plage. Main dans la main, on a admiré l'océan argenté, qui paraissait infini. On voyait qu'il avait plusieurs millions d'années.

– Action ou vérité ? m'a-t-il demandé.

Je n'étais pas d'humeur à me confier. Subitement j'ai eu une idée : j'avais envie de me baigner nue. Avec Cam. Comme les plus grands, qui prenaient un bain de minuit à poil ou se bécotaient au drive-in. Le faire serait une preuve que j'avais grandi.

Alors j'ai dit :

– Jouons plutôt à Que préférerais-tu... Préférerais-tu te baigner nu tout de suite ou...

J'avais du mal à inventer la deuxième partie de l'alternative.

– Le premier ! le premier ! a-t-il répondu en souriant. Ou les deux, ça dépend de ce que tu allais ajouter...

Je me suis soudain sentie grisée, comme si j'avais bu. J'ai couru vers l'eau en retirant mon sweat-shirt et en le jetant sur la plage. Je portais mon maillot dessous.

– Les règles sont les suivantes, ai-je crié en déboutonnant mon short. Pas le droit de se mettre tout nu avant d'être entièrement entré dans l'eau ! Et interdiction de regarder en douce !

– Attends, a-t-il dit en me rejoignant à grandes enjambées. On va vraiment le faire ?

– Eh bien oui. Tu n'en as pas envie ?

– Si, mais... ta mère pourrait nous voir... a-t-il ajouté en jetant un coup d'œil vers la maison.

– Impossible, la nuit est trop noire.

Son regard a navigué entre la maison et moi.

– Peut-être plus tard... a-t-il hésité.

Je n'en revenais pas ! Est-ce que ce n'était pas plutôt lui qui était censé me convaincre ?

– Tu es sérieux ? ai-je lancé.

En réalité, la question qui me brûlait les lèvres était : « Tu es homo ou quoi ? »

– Ouais, il est encore trop tôt. Tout le monde ne dort peut-être pas...

Il a ramassé mon sweat-shirt pour me le tendre.

– On pourrait revenir plus tard, a-t-il ajouté.

Je savais qu'il ne le pensait pas.

J'étais partagée entre la colère et le soulagement. Exactement comme quand j'avais envie d'un sandwich à la banane et au beurre de cacahuètes et que je me rendais compte, au bout de deux bouchées, que ce n'était pas si bon que ça.

Je lui ai arraché le sweat-shirt des mains en lâchant :

– Inutile de me faire une faveur, Cam.

Puis je me suis éloignée aussi rapidement que possible, soulevant du sable à chaque enjambée. J'ai cru qu'il allait me suivre, mais je me suis trompée. Je ne me suis pas retournée pour voir ce qu'il fichait. Il s'était sans doute assis dans le sable pour y écrire un de ses poèmes débiles au clair de lune.

J'ai déboulé dans la cuisine comme une furie. Il y avait de la lumière : Conrad était assis à table, il découpait une pastèque.

– Où est Cam Cameron ? a-t-il demandé ironiquement.

– Aucune idée, ai-je rétorqué en farfouillant dans le frigo avant de prendre un yaourt. Et aucune importance.

– Y aurait-il eu une scène de ménage ?

Son air suffisant me donnait envie de le gifler.

– Mêle-toi de tes affaires, ai-je répliqué en m'asseyant à côté de lui avec mon yaourt aux fraises.

C'était un de ceux de Susannah, allégé et plein de flotte ; je l'ai repoussé sur la table. Conrad m'a tendu un morceau de pastèque.

– Tu ne devrais pas être aussi dure avec les gens, Belly.

Puis il a ajouté en se levant :

– Et remets ton sweat-shirt.

J'ai enfourné un morceau de pastèque avant de lui tirer la langue, mais il avait déjà tourné les talons.

Pourquoi me donnait-il toujours le sentiment d'avoir treize ans ? Dans ma tête, j'ai entendu la voix de ma mère : « Tu ne devrais laisser personne t'atteindre, Belly. Personne. C'est ce que disait Eleanor Roosevelt. J'ai failli te prénommer comme elle, tu sais. » Bla, bla, bla. Mais elle avait raison. Je ne me laisserais plus atteindre par lui. Je regrettais seulement de ne pas avoir les cheveux mouillés ou de ne pas avoir du sable plein les vêtements... Conrad aurait pu imaginer qu'il s'était passé des choses, au moins, même si ce n'était pas le cas.

Je suis restée assise dans la cuisine à manger de la pastèque. Je ne me suis arrêtée qu'après en avoir englouti la moitié. J'attendais que Cam me rejoigne et ma colère n'a fait qu'enfler en voyant qu'il n'arrivait pas. Une part de moi était tentée de fermer la porte à double tour, pour qu'il se casse le nez. Il croiserait sans doute un vagabond, avec lequel il se lierait d'amitié, et il me raconterait sa vie le lendemain. Même s'il n'y avait pas de vagabonds sur cette portion de la plage. Même si je n'avais jamais vu un seul vagabond à Cousins. Enfin, s'il y en avait un, je pouvais être sûre que Cam le trouverait.

Cam n'est jamais remonté jusqu'à la maison. Il est parti, tout simplement. Je l'ai entendu démarrer et, de la fenêtre de l'entrée, j'ai regardé sa voiture s'engager dans la rue. J'ai failli lui courir après en hurlant. Il aurait dû revenir. Et si j'avais tout gâché ? Et si je ne lui plaisais plus ? Et si je ne le revoyais jamais ?

Cette nuit-là, allongée dans mon lit, j'ai songé qu'un amour de vacances finit aussi vite qu'il a commencé.

Le lendemain matin, pourtant, en sortant avec ma tartine, j'ai trouvé, sur les marches qui descendaient vers la plage, une bouteille d'eau vide – Cam buvait toujours de l'eau de cette marque-là. Il y avait un morceau de papier à l'intérieur. C'était une bouteille à la mer. L'encre avait légèrement bavé, mais j'ai quand même réussi à lire le message : « Je te dois un bain de minuit. »

Chapitre trente-trois

15 ans

Jeremiah m'a proposé de passer au country-club pendant ses heures de travail. Je n'y avais encore jamais mis les pieds et comme j'avais entendu dire que la piscine était magnifique, j'ai sauté sur l'occasion. C'était un endroit d'autant plus mystérieux que Conrad nous avait interdit de venir l'été précédent, prétextant que ce serait gênant pour lui.

Au milieu de l'après-midi, j'ai enfourché mon vélo pour m'y rendre. La végétation y était luxuriante, il y avait un parcours de golf. La fille de l'accueil avait une liste de noms. Je lui ai dit que je venais voir Jeremiah et elle m'a laissée entrer.

Je l'ai repéré avant qu'il ne m'aperçoive. Il était en pleine discussion avec une brune en deux-pièces blanc. Il riait, elle aussi. Il avait l'air si important sur sa chaise de maître nageur. C'était la première fois que je le voyais dans un contexte professionnel.

Soudain j'ai été intimidée. Je me suis avancée lentement, mes tongs claquaient sur les dalles.

– Salut, ai-je dit quand je n'ai été qu'à quelques centimètres de lui.

Il a baissé les yeux vers moi en souriant.

– Tu es là ! a-t-il lancé en plaçant sa main en visière au-dessus de ses yeux.

– Oui...

Je balançais mon sac en toile au bout de mon bras comme un pendule. Mon nom était brodé dessus en lettres anglaises. C'était un cadeau de Susannah.

– Belly, je te présente Yolie. C'est ma collègue.

Celle-ci m'a tendu la main, ce qui m'a paru très formel comme geste pour une fille en maillot de bain. Sa poignée de main était ferme, ma mère aurait apprécié.

– Bonjour, Belly ! J'ai beaucoup entendu parler de toi.

– Ah bon ? me suis-je étonnée en regardant Jeremiah.

Il a ricané.

– Ouais. Je lui ai expliqué que tu ronflais si fort que je t'entendais à l'autre bout du couloir.

– Arrête de dire des bêtises ! ai-je rétorqué en lui donnant un coup dans le pied avant d'ajouter à l'intention de Yolie : Enchantée de faire ta connaissance.

Elle m'a souri. Elle avait des fossettes et une dent de traviole, en bas.

– Moi, aussi. Jer', tu veux prendre ta pause tout de suite ?

– Non, dans un moment. Et si tu allais griller le peu de capital solaire qui te reste, Belly ?

Après lui avoir tiré la langue, j'ai étalé ma serviette sur un transat, pas trop loin. La piscine était d'un bleu turquoise parfait et il y avait deux plongeoirs, l'un au-dessus de l'autre. Une tonne de gamins s'amusaient dans l'eau. J'ai décidé que j'irais me baigner dès que j'aurais trop chaud. J'ai fermé les yeux derrière les verres de mes lunettes et j'ai mis de la musique.

Jeremiah m'a rejointe peu de temps après. Il s'est assis au bout de mon transat et il a bu de la grenadine dans ma Thermos.

– Elle est jolie, ai-je dit.

– Qui ? Yolie ?

Il a haussé les épaules avant de reprendre :

– Elle est sympa. C'est l'une de mes nombreuses admiratrices.

– Ha !

– Et toi, alors ? Cam Cameron, hein ? Cam le végétarien. Cam le Straight Edge.

J'ai essayé de retenir un sourire.

– Et alors ? Il me plaît.

– Il est un peu à la masse.

– C'est ce que j'aime chez lui, justement. Il est... différent.

Il s'est légèrement renfrogné avant de demander :

– Différent de qui ?

– Je ne sais pas.

C'était faux. Je savais très bien à qui il songeait.

– Tu veux dire que ce n'est pas un trouduc comme Conrad ?

Je me suis esclaffée, lui aussi.

– Ouais, exactement. Il est sympa, ai-je repris.

– Seulement sympa ?

– Plus que sympa.

– Alors tu ne penses plus à lui ? Plus du tout ?

Nous savions aussi bien l'un que l'autre qui se cachait derrière ce pronom.

– Oui.

– Je ne te crois pas, a-t-il rétorqué en me dévisageant comme lorsqu'il essayait de deviner si j'avais ou non une bonne main au Uno.

J'ai retiré mes lunettes de soleil pour le regarder droit dans les yeux.

– C'est la vérité. Je ne pense plus à lui.

– C'est ce qu'on verra... a lancé Jeremiah en se relevant. Ma pause est terminée. Tu as tout ce qu'il te faut ? Attends-moi et je te reconduirai à la maison. Je mettrai ton vélo dans le coffre.

J'ai hoché la tête et je l'ai suivi du regard alors qu'il retournait prendre son poste. Jeremiah était un bon ami. Il avait toujours été là, il veillait sur moi.

Chapitre trente-quatre

15 ans

Ma mère et Susannah étaient installées dans des chaises longues et moi, j'étais allongée sur une vieille serviette Ralph Lauren. C'était ma préférée, parce qu'elle était immense et très douce à force d'avoir été lavée et relavée.

– Tu as des projets pour ce soir, ma puce ? m'a demandé ma mère.

J'adorais quand elle m'appelait comme ça. Ça me rappelait l'époque où j'avais le droit de m'endormir dans son lit.

– Je vais au minigolf avec Cam, ai-je annoncé fièrement.

On y allait tout le temps quand on était petits. C'était M. Fisher qui nous emmenait. Il instaurait un esprit de compétition entre les garçons : « J'offre vingt dollars au premier d'entre vous qui réussit un trou en un coup. » « Le gagnant aura vingt dollars. » Steven adorait ça. Je crois qu'il aurait voulu que M. Fisher soit notre père. Ça aurait pu être le cas d'ailleurs. Susannah m'avait raconté qu'il était sorti avec ma mère en premier, mais qu'elle l'avait refilé à Susannah parce qu'elle savait qu'ils iraient parfaitement ensemble.

M. Fisher me laissait participer aux compétitions de minigolf, même s'il ne s'attendait pas à me voir gagner. À juste titre d'ailleurs. Je détestais les mini-clubs et le faux gazon. Tout était d'une perfection ennuyeuse. Un peu comme M. Fisher. Et Conrad rêvait tellement de lui ressembler que je priais pour que ça n'arrive jamais. Pour qu'il ne devienne jamais comme lui.

La dernière fois que j'avais mis les pieds au minigolf, j'avais treize ans et j'avais eu mes règles pour la première fois, au quatrième trou. Je portais un short blanc et Steven avait aussitôt paniqué. Il avait cru que je m'étais coupée, ou un truc dans le genre – et, l'espace d'une seconde, j'avais pensé la même chose. Après cet épisode, je n'avais jamais voulu y retourner. Même lorsque les garçons me l'avaient proposé. Y aller avec Cam, c'était une façon de reprendre mes droits sur le minigolf, de rendre justice à celle que j'étais trois ans plus tôt. C'était moi qui avais eu l'idée de cette sortie, d'ailleurs.

– Tu crois que tu pourrais rentrer de bonne heure ? m'a demandé ma mère. On pourrait regarder un film ensemble.

– De bonne heure comment ? Vous vous couchez à neuf heures !

Ma mère a retiré ses lunettes de soleil pour plonger ses yeux dans les miens. Celles-ci lui avaient laissé deux marques sur le nez.

– J'aimerais que tu passes un peu plus de temps à la maison.

– Et je suis où là ?

Elle a fait mine de ne pas avoir entendu.

– Tu es tout le temps fourrée avec lui...

– Tu m'as dit que tu l'aimais bien !

Je me suis tournée vers Susannah pour trouver du renfort et elle m'a adressé un regard compatissant. Quand ma mère a poussé un soupir, elle a pris la parole :

– On aime beaucoup Cam, Belly, mais tu nous manques. Ça ne nous pose aucun problème que tu mènes ta vie.

Elle a redressé son chapeau en paille avant d'ajouter, avec un clin d'œil :

– On voudrait juste que tu nous fasses une petite place !

J'ai souri malgré moi.

– D'accord, ai-je cédé en me rallongeant sur la serviette, je rentrerai tôt. Et on regardera un film.

– Marché conclu, a dit ma mère.

J'ai fermé les yeux et remis mes écouteurs. Elle n'avait peut-être pas tort. J'étais effectivement souvent avec Cam. Je lui manquais peut-être pour de bon. Mais elle ne pouvait pas s'attendre à ce que je passe toutes mes soirées à la maison comme les étés précédents. J'avais presque seize ans, j'étais presque une adulte. Ma mère devait admettre que je ne resterais pas sa puce éternellement.

Elles pensaient sans doute que je m'étais assoupie quand elles ont entamé leur discussion, mais ce n'était pas le cas. Je les entendais, malgré la musique.

– Conrad se comporte comme un petit con, a murmuré ma mère. Il avait laissé un tas de bouteilles de bière vides sur la véranda, j'ai dû tout nettoyer. La situation est en train de déraper.

Susannah a soupiré.

– Je crois qu'il se doute de quelque chose. Ça fait des mois maintenant qu'il se comporte de la sorte. Il est si sensible... Je sais que la nouvelle va être plus difficile pour lui.

– Tu ne penses pas qu'il est temps de l'annoncer aux garçons ?

Quand ma mère disait « tu ne penses pas », en réalité elle voulait dire : « Moi, je pense que si, tu devrais donc le faire. »

– À la fin de l'été. Ce sera bien assez tôt.

– Beck, a insisté ma mère, il me semble qu'il est temps...

– Je déciderai du moment opportun, ne me force pas la main, Laurel.

Je savais que ma mère ne réussirait pas à la faire changer d'avis. Susannah était la douceur incarnée, mais elle était aussi têtue qu'une mule quand elle avait une idée dans le crâne. Une femme d'acier sous une carapace de tendresse.

J'aurais voulu les prévenir que Conrad, et Jeremiah, étaient déjà au courant, mais je ne pouvais pas. Ça aurait été déplacé. Ça ne me regardait pas.

Susannah tenait à ce que cet été soit parfait jusqu'au bout, un été sans parents qui se séparent, un été sans bouleversements. Ne savait-elle donc pas que ce genre d'été n'existait plus ?

Chapitre trente-cinq

15 ans

Au moment du coucher du soleil, Cam est venu me chercher pour m'emmener au minigolf. Je l'attendais sur la véranda et, dès que je l'ai vu arriver, j'ai couru à sa rencontre. Au lieu de monter du côté passager, j'ai contourné la voiture.

– Je peux conduire ? ai-je demandé.

Je savais qu'il dirait oui. Il a secoué la tête avant de répondre, avec une pointe d'ironie :

– Est-ce qu'on t'a déjà dit non ?

– Jamais, ai-je répliqué en battant des cils, même si ce n'était pas la vérité, et de loin.

En enclenchant la marche arrière je lui ai annoncé :

– Je dois rentrer tôt ce soir.

– Aucun problème, a-t-il répondu avant de se racler la gorge. Et... euh... est-ce que tu pourrais ralentir un peu ? La vitesse est limitée à trente-cinq kilomètres-heure sur cette route.

Il n'a pas arrêté de m'observer en souriant pendant que je conduisais.

— Quoi ? Qu'est-ce qui t'amuse ?

J'aurais voulu me remonter le tee-shirt sur la tête.

— Ton nez ressemble à une petite queue de lapin, a-t-il dit en le tapotant.

J'ai aussitôt repoussé sa main.

— Je le déteste.

— Pourquoi ? a-t-il demandé avec surprise. Ton nez est adorable. Ce sont les imperfections qui rendent les choses belles.

Je me suis demandé si cela signifiait qu'il me trouvait belle. Je me suis demandé si je lui plaisais grâce à mes imperfections.

On est restés plus tard que prévu, finalement. Le couple juste devant nous restait trois heures à chaque trou ; ils n'arrêtaient pas de s'embrasser, c'était pénible. Je leur aurais bien balancé : « On ne vient pas au minigolf pour s'emballer, allez au drive-in ! » À la fin de la partie, Cam avait faim et on s'est arrêtés pour manger des palourdes frites. Il était dix heures passées quand on a terminé notre repas et je savais qu'à cette heure ma mère et Susannah étaient déjà couchées.

Il m'a laissée conduire pour le retour. Je n'ai même pas eu besoin de demander, il m'a tendu les clés. Arrivée devant la maison, j'ai coupé le moteur. Toutes les lumières étaient éteintes, à l'exception de celle de la chambre de Conrad.

— Je n'ai pas envie de rentrer tout de suite, ai-je dit.

— Je croyais que tu devais y être de bonne heure ?

— C'était le cas... c'est le cas, mais j'ai besoin d'un peu de temps.

J'ai allumé la radio, nous l'avons écoutée en silence pendant cinq minutes. Puis Cam s'est éclairci la gorge.

— Est-ce que je peux t'embrasser ?

J'aurais préféré qu'il ne pose pas la question et qu'il le fasse tout simplement. Ça me mettait mal à l'aise. J'ai été tentée de lever les yeux au ciel, mais je me suis contentée de répondre :

— Euh... d'accord. Mais la prochaine fois, s'il te plaît, ne demande pas avant. C'est bizarre. Tu devrais le faire sans avoir besoin d'en parler.

En découvrant son expression, j'ai aussitôt regretté d'avoir ouvert la bouche.

— Oublie, a-t-il répondu en piquant un fard, c'est pas grave.

— Cam, je suis déso...

Sans me laisser finir ma phrase, il s'est penché et m'a embrassée. Comme il ne s'était pas rasé, ses joues grattaient un peu, mais c'était agréable. Quand il s'est reculé, il m'a demandé :

— Ça va ?

— Ça va, ai-je répondu en souriant et en détachant ma ceinture de sécurité. Bonne nuit.

Je suis sortie de la voiture et il a fait le tour pour venir prendre le volant. Il m'a serrée dans ses bras et je me suis surprise à espérer que Conrad nous voie. Même si ça n'avait plus aucune importance, même si je ne l'aimais plus. Je voulais qu'il sache que c'était fini pour de bon. Qu'il le constate de ses propres yeux.

J'ai couru jusqu'à la porte d'entrée – Cam attendrait que je sois à l'intérieur avant de partir, je n'avais pas besoin de me retourner pour le vérifier.

Le lendemain, je n'ai pas eu une seule réflexion de ma mère. C'était inutile : elle était parfaitement capable de me faire culpabiliser en conservant le silence.

Chapitre trente-six

16 ans

Mon anniversaire marquait toujours le début de la fin de l'été. C'était la dernière chose que j'attendais avec impatience. Surtout que cette année j'allais avoir seize ans. C'était un anniversaire spécial[1], vraiment important. Pour le sien, Taylor avait prévu de louer une salle et d'inviter tout le lycée, son cousin s'occuperait de la musique. C'était planifié de longue date. Mes anniversaires à moi se déroulaient toujours de la même façon : on mangeait un gâteau, les garçons me faisaient des cadeaux qui ressemblaient davantage à des gags, puis je regardais les vieux albums photos, prise en sandwich entre ma mère et Susannah sur le canapé. J'avais fêté tous mes anniversaires ici, dans cette maison. Il y a des photos de ma mère sur la véranda, enceinte de moi, avec un verre de thé glacé et une capeline. Il y en a d'autres de nous quatre, Conrad, Steven,

1. Dans les pays anglo-saxons, on accorde une importance toute particulière à cet anniversaire, le « *sweet sixteen* », pour les filles, et on organise souvent une grande fête pour cette occasion.

Jeremiah et moi, en train de courir sur la plage – je suis nue comme un ver à l'exception d'un chapeau pointu d'anniversaire et je les poursuis. Ma mère ne m'a pas fait porter de maillot de bain avant mes quatre ans. Une vraie petite sauvageonne.

Je ne m'attendais pas à ce que cet anniversaire soit différent, ce qui était à la fois rassurant et un peu déprimant. Le point positif, c'est que Steven ne serait pas là pour essayer de me déconcentrer et souffler mes bougies à ma place.

Je savais déjà ce que mes parents m'offraient : la vieille voiture de Steven, qu'ils feraient réviser et repeindre. Dès la rentrée, je prendrais des leçons de conduite, et bientôt je serais entièrement libre de mes déplacements.

Je ne pouvais pas m'empêcher de me demander si quelqu'un se souviendrait que c'était mon anniversaire, à la maison. À l'exception de Taylor, qui n'en avait pas raté un seul. Chaque année, elle appelait à 9 h 02 tapantes pour me chanter *Joyeux Anniversaire*. C'était adorable. L'ennui d'avoir mon anniversaire en plein été, et d'être en vacances à ce moment-là, c'est que je ne pouvais pas organiser de fête avec mes copains du bahut. Et personne n'accrochait jamais de ballons à mon casier. Ça ne m'avait pas dérangée jusqu'à présent et je ne sais pas pourquoi, cette année, ça me contrariait.

Ma mère m'avait proposé d'inviter Cam, mais je ne l'ai pas fait. Je ne lui ai même pas dit que c'était mon anniversaire. Je ne voulais pas qu'il se sente obligé à quoi que ce soit. Ce n'était pas l'unique raison, cependant : si cet anniversaire devait ressembler aux autres, je voulais qu'il leur ressemble jusqu'au bout. Il n'y aurait que nous, ma famille de vacances.

Quand je me suis réveillée ce matin-là, la maison embaumait le beurre et le sucre. Susannah avait confectionné un gâteau d'anniversaire. Il avait trois étages, son glaçage était rose sur le dessus et blanc sur les côtés. Elle avait écrit en anglaises blanches JOYEUX ANNIVERSAIRE, BELLS. Elle a allumé quelques bougies magiques, qui ont projeté des gerbes d'étincelles. Ma mère et elle se sont mises à chanter, et elles ont demandé aux garçons de les accompagner. Ils se sont exécutés de mauvaise grâce et avec des fausses notes.

– Fais un vœu, Belly, a dit ma mère.

Mon sourire était inamovible. Les quatre années précédentes, j'avais souhaité la même chose, mais pas cette fois. Mon vœu serait différent. J'ai laissé les étincelles mourir avant de fermer les yeux pour souffler les bougies.

– Ouvre mon cadeau en premier ! m'a pressée Susannah.

Elle m'a collé entre les mains une petite boîte enveloppée dans du papier rose. Ma mère l'a interrogée du regard.

– Qu'as-tu fait, Beck ?

Celle-ci m'a lancé un sourire mystérieux en me serrant le poignet :

– Vas-y, trésor.

J'ai déchiré le papier et ouvert la boîte. C'était un collier de petites perles blanc crème avec un fermoir en or. Il avait l'air ancien, comme la montre suisse de mon père, dont les finitions étaient parfaites, jusqu'au remontoir. Je n'avais jamais rien vu d'aussi joli.

– Ça, alors ! ai-je soufflé en le sortant de sa boîte.

J'ai regardé Susannah, qui rayonnait, puis ma mère – je m'attendais à ce qu'elle dise que c'était excessif, mais elle n'en a rien fait. En souriant, elle a demandé :

– Est-ce que ce sont celles...

– Oui, a répondu Susannah avant d'ajouter à mon intention : Mon père me les avait offertes pour mon seizième anniversaire. Je tenais à ce que tu les aies.

– Vraiment ?

Je me suis de nouveau tournée vers ma mère pour m'assurer qu'elle m'autorisait à accepter. Elle a acquiescé.

– Waouh, merci, Susannah ! Elles sont sublimes.

Elle a passé le collier autour de mon cou. Je n'avais jamais porté de perles avant, je ne pouvais pas m'empêcher de les toucher.

Susannah a tapé dans ses mains. Elle n'aimait pas qu'on s'attarde trop longtemps sur ses cadeaux.

– Très bien, à qui le tour ? Jeremiah ? Rad ?

Conrad a gigoté sur sa chaise.

– J'ai oublié. Désolé, Belly.

J'ai été surprise, ça ne lui était jamais arrivé.

– Ce n'est pas grave, ai-je dit sans réussir à le regarder en face.

– Ouvre le mien ! a lancé Jeremiah. Même s'il va paraître minable après ça. Merci beaucoup, maman.

Il m'a remis une petite boîte avant de se carrer dans sa chaise.

– Qu'est-ce que ça peut bien être ? ai-je demandé en la secouant. Une crotte en plastique ? Un porte-clés en forme de plaque d'immatriculation ?

Il a souri.

– Tu verras bien. Yolie m'a aidé à choisir.

– Qui est Yolie ? a dit Susannah.

– Une fille qui est amoureuse de Jeremiah, ai-je répondu en ouvrant la boîte.

À l'intérieur, niché dans un cocon de coton, se trouvait une petite breloque pour mon bracelet porte-bonheur, une clé en argent.

Chapitre trente-sept

11 ans

– Joyeux anniversaire, banane ! s'est écrié Steven en vidant un plein seau de sable sur mon ventre.

Un crabe s'en est échappé et a remonté le long de ma cuisse. J'ai poussé un hurlement avant de bondir. J'ai poursuivi Steven sur la plage, la colère bouillait dans mes veines, mais je n'étais pas assez rapide pour le rattraper. Je n'étais jamais assez rapide. Il courait en cercles autour de moi.

– Viens souffler tes bougies ! m'a appelée ma mère.

Dès que Steven a pivoté pour retourner à sa serviette, j'ai sauté sur son dos : un bras passé autour de son cou, je lui ai tiré les cheveux de toutes mes forces.

– Aïe ! a-t-il crié en trébuchant.

Je m'accrochais à lui comme un ouistiti et Jeremiah m'a pris le pied pour me faire lâcher prise. Conrad est tombé à genoux, hilare.

– Les enfants, il y a du gâteau ! a lancé Susannah.

J'ai lâché Steven et couru jusqu'à la couverture.

– Je vais t'attraper ! a-t-il hurlé en se lançant à ma poursuite.

Je me suis cachée derrière ma mère.

– Tu n'as pas le droit, c'est mon anniversaire, ai-je répliqué en lui tirant la langue.

Les garçons se sont affalés sur la couverture, ils étaient trempés, pleins de sable.

– Maman, s'est plaint Steven, elle m'a arraché des cheveux.

– Steven, il t'en reste largement assez, je ne me fais aucun souci pour toi.

Ma mère a allumé les bougies sur le gâteau qu'elle avait confectionné ce matin-là, à partir d'une préparation : un quatre-quarts avec un glaçage au chocolat. Il était un peu de traviole et elle avait écrit comme un cochon, si bien qu'au lieu de « Joyeux Anniversaire » on lisait « Joyeux Amivenane ».

J'ai soufflé les bougies sans laisser le temps à Steven de m'« aider ». Je ne voulais pas qu'il me vole mon vœu. Il concernait Conrad, bien sûr.

– Ouvre tes cadeaux, Chlinguy, a grommelé Steven.

Je savais déjà ce qu'il m'offrait. Un stick de déodorant. Il l'avait enveloppé dans un Kleenex, on voyait à travers.

Je l'ai ignoré et j'ai pris une petite boîte plate emballée dans un papier avec des coquillages. C'était le cadeau de Susannah, je savais que ce serait quelque chose de bien. J'ai déchiré le papier ; à l'intérieur de la boîte se trouvait un bracelet en argent de la boutique préférée de Susannah, où ils vendaient de la vaisselle en porcelaine et en cristal. Il y avait cinq breloques dessus : une conque, un maillot de bain, un château de sable, une paire de lunettes de soleil et un fer à cheval.

– Celui-là, c'est parce que nous avons beaucoup de chance de t'avoir dans nos vies, a dit Susannah en effleurant le fer à cheval.

J'ai sorti le bracelet de sa boîte, les breloques tintaient et scintillaient au soleil.

– Je l'adore !

Ma mère a gardé le silence. Je savais ce qu'elle pensait. Que Susannah en avait trop fait, que c'était une dépense excessive. Je m'en suis voulu d'aimer autant le bracelet. Ma mère m'avait acheté des partitions de musique et des CD. Nous n'avions pas autant d'argent qu'eux et, à cet instant-là, j'ai enfin compris ce que ça signifiait.

Chapitre trente-huit

16 ans

– Je l'adore ! ai-je dit.

J'ai filé dans ma chambre pour aller chercher mon bracelet, que je rangeais dans la boîte à musique, sur la commode. Je suis redescendue avec.

– Vous avez vu ? me suis-je écriée en attachant la petite clé et en enfilant le bracelet.

– J'ai choisi une clé, parce que tu conduiras bientôt. Tu avais pigé ? a demandé Jeremiah en s'adossant à sa chaise et en croisant les mains derrière sa nuque.

J'ai souri pour lui montrer que j'avais pigé, oui.

Conrad s'est penché en avant pour l'examiner.

– Classe, a-t-il dit.

Je la tenais dans la paume de mon autre main. Je ne pouvais pas la quitter des yeux.

– Elle est sublime ! ai-je répété. Mais ça a dû te coûter une fortune.

– J'ai économisé tout l'été pour te l'offrir, a-t-il répondu d'un ton grave.

– Tu es fou, Jeremiah ! ai-je rétorqué en le dévisageant.

Il s'est aussitôt fendu la poire.

– Je t'ai bien eue ! On peut encore te faire gober n'importe quoi, hein ?

En lui donnant une bourrade, j'ai répliqué :

– Je ne t'ai pas cru, pauvre tache.

Mais c'était faux : l'espace d'une seconde, j'y avais cru.

Jeremiah s'est frotté le bras à l'endroit où je l'avais frappé.

– Ce n'était pas si cher que ça. De toute façon, je suis plein aux as, maintenant, tu l'as oublié ? Ne t'inquiète pas pour moi. Je suis content qu'elle te plaise. Yolie était sûre que ce serait le cas.

Je l'ai serré dans mes bras.

– Elle est parfaite.

– C'est un cadeau merveilleux, Jer', a dit Susannah, bien plus beau que mon vieux collier.

– C'est ça, a-t-il répliqué en se marrant.

Je voyais bien, pourtant, qu'il était flatté.

Ma mère s'est chargée de découper le gâteau. Elle n'était vraiment pas adroite : elle a fait des parts trop grosses qui s'effondraient sur les côtés.

– Qui en veut ? a-t-elle proposé en se léchant les doigts.

– Je n'ai pas faim, a lâché Conrad en se levant. Je dois aller me préparer pour le taf. Joyeux anniversaire, Belly.

Il est monté et personne n'a décroché un mot pendant quelques minutes. C'est ma mère qui a brisé le silence :

– Ce gâteau est délicieux, tu devrais en prendre un peu, Beck.

Elle a poussé une assiette devant Susannah. Avec un pauvre sourire, elle a répondu :

– Je n'ai pas faim non plus. Tu sais bien qu'on dit que les cuisiniers n'ont jamais envie de manger ce qu'ils ont préparé. Mais régalez-vous !

– Mmmm, c'est mon gâteau préféré, ai-je dit en enfournant un énorme morceau.

– On a improvisé, a rétorqué ma mère avec un clin d'œil.

Chapitre trente-neuf

16 ans

Conrad avait invité Nicole, la fille à la casquette, chez nous. Je n'en revenais pas de la voir là, c'était bizarre de croiser une autre fille que moi dans la maison.

Ils sont arrivés en plein après-midi. J'étais assise sur la véranda, en train de manger un sandwich quand ils se sont garés dans la cour. Elle portait un mini-short et un tee-shirt blanc, une paire de lunettes de soleil était perchée sur le sommet de son crâne. Pas de casquette, cette fois-ci. Elle avait la classe, surtout comparée à moi, avec mon vieux tee-shirt qui me servait parfois de chemise de nuit. Je pensais qu'il allait la faire entrer dans la maison, mais ils ont traîné près de la piscine, sur des transats. Je n'entendais pas ce qu'ils disaient, mais Nicole n'arrêtait pas de glousser.

Au bout de cinq minutes, je n'en pouvais déjà plus. J'ai décroché le téléphone pour proposer à Cam de venir. Il a dit qu'il passerait d'ici une demi-heure, mais il m'a rejointe quinze minutes plus tard.

Ils sont rentrés dans la maison au moment où on se disputait, Cam et moi, sur le choix du film.

– Qu'est-ce que vous allez regarder ? a demandé Conrad en s'installant sur le canapé en face de nous.

La fille s'est assise à côté de lui. Enfin à côté... elle était quasiment sur ses genoux en réalité.

– Nous sommes justement en train de décider, ai-je répondu en évitant son regard et en insistant bien sur le nous.

– On peut rester ? a dit Conrad. Vous connaissez déjà Nicole, non ?

Comme ça, Conrad était d'humeur sociable, subitement, alors qu'il avait passé l'été enfermé dans sa chambre ?

– Salut, a-t-elle lancé d'un ton ennuyé.

– Salut, ai-je répondu en imitant de mon mieux son dédain.

– Salut, Nicole, a ajouté Cam.

J'aurais aimé lui dire de ne pas se montrer aussi sympa, mais je savais qu'il ne m'aurait pas écoutée.

– Je veux voir *Reservoir Dogs*, mais Belly préfère *Titanic*, a-t-il poursuivi.

– Sérieux ? a demandé Nicole.

Conrad s'est esclaffé avant de lâcher d'un ton moqueur :

– Belly adore *Titanic*.

– J'adorais *Titanic* quand j'avais neuf ans, ai-je riposté. Pour ta gouverne, j'ai justement envie de le revoir au second degré.

J'avais réussi à garder mon sang-froid. Il était hors de question que je le laisse me ridiculiser une nouvelle fois devant Cam. Oui, j'adorais *Titanic*. Aujourd'hui encore, et alors ? Qu'est-ce qu'il y avait de mal à aimer une histoire d'amour tragique ? Je savais pertinemment que Conrad n'avait pas boudé son plaisir non plus, même s'il prétendait le contraire.

– Je vote pour *Reservoir Dogs*, a dit Nicole sans détacher les yeux de ses ongles de mains.

Quelqu'un lui avait demandé son avis ? Et puis qu'est-ce qu'elle fichait là d'abord ?

– Deux voix pour *Reservoir Dogs*, a annoncé Cam. Et toi, Conrad ?

– Je crois que je vais voter pour *Titanic*, a-t-il répondu d'une voix mielleuse. *Reservoir Dogs* est encore pire que *Titanic*, complètement dépassé.

Je l'ai dévisagé en plissant les yeux.

– Vous savez quoi ? J'ai changé d'avis, je suis pour *Reservoir Dogs*. On dirait que tu es en minorité, Conrad.

Nicole a alors redressé la tête.

– Eh bien, je vote pour *Titanic* dans ce cas.

– Pour qui elle se prend ? ai-je marmonné dans ma barbe. Est-ce qu'elle a voix au chapitre ?

– Et lui ? a demandé Conrad en indiquant Cam d'un mouvement du coude. Je plaisante, mec, a-t-il ajouté en voyant sa réaction de surprise.

– Va pour *Titanic*, a tranché Cam en sortant le DVD de sa boîte.

On a regardé le début du film dans un silence absolu. Ils ont tous éclaté de rire quand Jack se tient à la proue du bateau et crie : « Je suis le roi du monde. » Je n'ai pas bronché. Au milieu du film, Nicole a murmuré quelque chose à l'oreille de Conrad et ils se sont levés.

– À plus ! a-t-il lancé.

Dès qu'ils ont été partis, j'ai soufflé :

– Ils sont répugnants. Je parie qu'ils sont montés concrétiser.

– « Concrétiser » ? Qui dit ça ? a demandé Cam d'un air amusé.

– Arrête ! Tu ne la trouves pas vulgaire ?

– Vulgaire ? Non. Elle est mignonne. Elle a peut-être la main un peu lourde sur l'autobronzant.

Je n'ai pas pu retenir un éclat de rire.

– Tu t'y connais en autobronzant ?

– J'ai une grande sœur, tu as oublié ? a-t-il rétorqué avec un sourire malicieux. Elle aime le maquillage. Et on partage la même salle de bains.

Je n'avais aucun souvenir de Cam mentionnant sa grande sœur.

– Enfin, de toute façon, tu as raison, elle force sur l'autobronzant, elle est orange vif ! Je me demande où elle a fourré sa casquette...

Cam a mis le film sur pause.

– Pourquoi es-tu aussi obsédée par elle ?

– Je ne suis pas du tout obsédée. Je n'ai aucune raison de l'être. Elle n'a pas de personnalité, on dirait un robot. Elle couve Conrad du regard comme si c'était un dieu.

Je savais qu'il me trouvait peste et qu'il n'aimait pas ça, mais je ne pouvais pas m'en empêcher. Il m'a dévisagée comme s'il allait dire quelque chose, mais il s'est tu. Et il a pressé la touche play sur la télécommande.

On n'a pas échangé un seul mot jusqu'à la fin du film. Quelques minutes avant le générique, j'ai entendu la voix de Conrad dans les escaliers et, sans réfléchir, je me suis rapprochée de Cam sur le canapé. J'ai posé ma tête sur son épaule.

Conrad et Nicole sont entrés dans le salon et Conrad nous a observés une seconde avant de lancer :

– Dis à ma mère que je raccompagne Nicole chez elle.

– D'accord, ai-je rétorqué sans relever les yeux vers lui.

Ils avaient à peine franchi le seuil de la porte que Cam s'est redressé. Je l'ai imité. Il a pris une inspiration avant de me demander :

– Est-ce que tu m'as invité pour le rendre jaloux ?

– Qui ça ?

– Tu sais très bien qui. Conrad.

J'ai senti que je me mettais à rougir.

– Non.

J'avais l'impression que tout le monde voulait savoir ce que j'éprouvais par rapport à Conrad.

– Tu as toujours des sentiments pour lui ?

– Non.

Il a expiré bruyamment.

– Tu as hésité.

– Non, je n'ai pas hésité !

Est-ce que j'avais hésité ? Je n'étais plus sûre de rien...

– Quand je le regarde, je n'éprouve plus que du dégoût, ai-je repris.

Je voyais bien qu'il ne me croyait pas. Je ne réussissais même pas à me convaincre moi-même, d'ailleurs. Pour être honnête, chaque fois que Conrad était là, je me sentais attirée par lui. Ça n'avait pas changé. Je sortais avec un type génial, à qui je plaisais, mais mon cœur était toujours à Conrad. Elle était là, la vérité. Je n'avais jamais réussi à renoncer à lui.

Cam s'est éclairci la gorge avant de reprendre :

– Tu pars bientôt, est-ce que... Est-ce que tu veux qu'on reste en contact ?

Je ne m'étais pas posé la question. Il avait raison, l'été était presque terminé. Bientôt je serais chez moi.

– Euh... et toi ?

– Oui, bien sûr.

Il semblait attendre quelque chose de moi en retour. Je n'ai pas compris immédiatement de quoi il s'agissait. Puis j'ai lâché :

– Moi aussi. J'en ai envie, moi aussi.

Mais j'avais trop tardé. Cam a sorti son téléphone portable de sa poche pour vérifier l'heure et il a dit qu'il ferait mieux d'y aller. Je ne l'ai pas retenu.

Chapitre quarante

16 ans

On a fini par avoir notre soirée. Ma mère, Susannah, Jeremiah et moi avons regardé les Hitchcock préférés de Susannah dans le salon. On avait éteint la lumière. Ma mère avait préparé du pop-corn dans le grand fait-tout en fonte et elle avait acheté plein de bonbons. Elle avait pris les préférés de Susannah, des oursons en guimauve. C'était comme au bon vieux temps, même s'il manquait Steven et Conrad, qui assurait le service du dîner au restaurant.

Au milieu des *Enchaînés*, son préféré, Susannah s'est endormie. Ma mère l'a couverte avec un plaid et, à la fin du film, elle a murmuré :

– Jeremiah, tu veux bien la monter ?

Il a aussitôt acquiescé. Susannah ne s'est même pas réveillée quand il l'a soulevée dans ses bras pour l'emmener au premier. Il donnait l'impression qu'elle était légère comme une plume. Je ne l'avais jamais vu faire ça avant. On avait quasiment le même âge, Jeremiah et moi, pourtant, à ce moment-là, j'ai eu l'impression qu'il était presque un adulte. Ma mère s'est levée puis s'est étirée.

– Je suis crevée. Tu vas aussi te coucher, Belly ?

– Pas tout de suite, je vais d'abord ranger.

– Tu es une bonne petite, a-t-elle dit en me faisant un clin d'œil avant de se diriger vers les escaliers.

J'ai commencé par ramasser les papiers des bonbons et les quelques grains de pop-corn éparpillés sur la moquette. Jeremiah est redescendu au moment où je rangeais le DVD dans sa boîte. Il s'est affalé sur le canapé.

– On va pas se coucher maintenant, hein ? a-t-il dit en levant les yeux vers moi.

– OK. Tu veux regarder un autre film ?

– Nan, mettons la télé plutôt.

Il a pris la télécommande pour zapper.

– Où est passé Cam Cameron ?

Je me suis rassise en soupirant.

– Je ne sais pas... Il ne m'a pas appelée, et moi non plus. L'été est presque fini. Je ne le reverrai sans doute jamais.

– Tu en aurais envie ? De le revoir ? a-t-il demandé sans me regarder.

– Je ne sais pas... Je ne suis pas sûre. Peut-être. Peut-être pas.

Jeremiah a coupé le son de la télé. Il s'est tourné vers moi et a planté ses yeux dans les miens.

– Je ne crois pas que ce soit le bon type pour toi.

Je ne lui avais jamais vu un regard aussi sombre.

– Ouais, je ne crois pas non plus, ai-je rétorqué d'un ton léger.

— Belly...

Il a pris une profonde inspiration puis a gonflé les joues avant de relâcher son souffle, si brusquement que les mèches sur son front se sont soulevées. Les battements de mon cœur se sont accélérés — il allait se passer quelque chose. Il allait dire quelque chose que je n'avais pas envie d'entendre. Il s'apprêtait à foncer tête baissée, et tout changerait à jamais.

J'ai ouvert la bouche pour l'arrêter avant qu'il ne soit trop tard, mais il a secoué la tête.

— J'ai besoin que ça sorte.

Il a inspiré profondément avant de se lancer :

— Tu as toujours été ma meilleure amie, Belly... Mais tu es plus que ça maintenant, a-t-il continué en se rapprochant sur le canapé. Tu es plus chouette que les autres filles que j'ai rencontrées et tu es là pour moi. Tu as toujours été là pour moi. Je... je peux compter sur toi. Et tu peux compter sur moi aussi, tu le sais.

J'ai opiné. Je l'entendais parler, je voyais ses lèvres bouger, mais mon esprit était à des millions de kilomètres de là. C'était Jeremiah. Mon pote, mon meilleur pote. Presque mon frère. Ce qui était en train d'arriver était si énorme que j'avais du mal à respirer. J'osais à peine le regarder. Parce que je ne partageais pas ses sentiments, je ne le voyais pas comme ça. Il n'y en avait qu'un qui comptait. Et c'était Conrad.

— Je sais que tu as toujours eu un faible pour Conrad, mais c'est fini maintenant, non ?

Il y avait une telle lueur d'espoir dans ses yeux que ça me tuait, ça me tuait de ne pas pouvoir lui donner la réponse qu'il souhaitait.

– Je... je ne suis plus sûre, ai-je chuchoté.

Il a fait claquer sa langue, comme toujours lorsqu'il n'obtenait pas ce qu'il voulait.

– Mais pourquoi ? Il ne te voit pas comme ça. Alors que moi, oui.

Je sentais les larmes me monter aux yeux. C'était injuste, je ne devais pas pleurer. Simplement, il avait raison : Conrad ne me considérait pas comme ça. Si seulement j'avais pu partager les sentiments de Jeremiah...

– Je sais, j'aimerais changer. Mais c'est ce que je ressens. C'est ce que je continue à ressentir.

Il s'est écarté de moi. Il n'arrivait plus à me regarder, ses yeux se posaient partout dans la pièce sauf sur les miens.

– Il ne réussira qu'à te blesser...

Sa voix s'est brisée.

– Je suis désolée, Jeremiah, si tu savais à quel point. Ne m'en veux pas, s'il te plaît, je ne pourrai pas le supporter.

Il a soupiré.

– Je ne t'en veux pas... Mais pourquoi faut-il toujours que ce soit Conrad ?

Il s'est levé et m'a abandonnée sur le canapé.

Chapitre quarante et un

12 ans

M. Fisher avait emmené les garçons pour une partie de pêche nocturne en haute mer. Jeremiah n'avait pas pu les accompagner : il avait été malade plus tôt dans la journée et Susannah l'avait forcé à rester. On avait passé la soirée sur le vieux canapé du sous-sol à regarder des films en mangeant des chips.

Entre *Terminator 1* et *Terminator 2*, il a lâché avec amertume :

– Il préfère Rad, tu sais.

Je m'étais levée pour changer de DVD et j'ai aussitôt fait volte-face.

– Quoi ?

– C'est la vérité. Ça m'est égal au fond, parce que je le trouve naze, a-t-il expliqué en tirant sur un fil de la couverture posée sur ses genoux.

Je partageais son avis sur la question, mais je n'ai rien dit : on n'est pas censé abonder dans le sens de quelqu'un qui critique son père. Je me suis contentée de mettre le

DVD avant de retourner m'asseoir. En me glissant sous un coin de la couverture, j'ai lancé :

– Tu exagères, il n'est pas si affreux.

Jeremiah m'a adressé un regard de reproche.

– Bien sûr que si, et tu le sais très bien. Rad le vénère comme si c'était un dieu. Et ton frère aussi.

– C'est parce que ton père est très différent du nôtre, ai-je répliqué sur la défensive. Il vous emmène pêcher et il joue au foot avec vous. Ce n'est pas le genre de notre père. Il préfère les échecs.

– J'aime bien les échecs, moi, a-t-il dit en haussant les épaules.

J'ai été surprise. Moi aussi, j'aimais ça, mon père m'avait appris à jouer quand j'avais sept ans. Et j'étais plutôt bonne. Si je ne m'étais jamais inscrite au club d'échecs du collège, alors que j'en avais eu envie, c'était parce que, d'après Taylor, il n'y avait que les intellos rasoirs pour le faire.

– Et Conrad joue aux échecs, lui aussi. Tu sais, il se plie aux désirs de notre père, mais je suis sûr qu'il n'aime pas le football autant que moi. C'est juste qu'il est super bon sur un terrain, comme partout d'ailleurs.

Je n'avais rien à répondre. Conrad excellait en tout. J'ai pris une poignée de chips que j'ai enfournées pour ne pas avoir à parler.

– Un jour, je serai meilleur que lui, a déclaré Jeremiah.

Je ne voyais pas comment. Conrad était trop fort.

– Je sais que Conrad te plaît, a-t-il ajouté subitement.

Les chips ont eu un goût amer tout à coup.

— N'importe quoi.

— Bien sûr que si, a-t-il rétorqué d'un air de vieux sage. Dis-moi la vérité. Pas de secrets, tu te souviens ?

On se répétait ça depuis presque toujours, Jeremiah et moi. C'était un rituel entre nous, comme le fait qu'il boive systématiquement le lait sucré de mes céréales.

— Non, il ne me plaît vraiment pas, ai-je insisté. C'est un ami et rien d'autre.

— Bien sûr que si. Tu te comportes comme si tu étais amoureuse de lui.

Incapable de soutenir plus longtemps son regard inquisiteur, j'ai rétorqué vivement :

— Tu dis ça parce que tu es jaloux de tout ce qu'il fait.

— Je ne suis pas jaloux. J'aimerais simplement être aussi doué que lui, a-t-il répondu calmement.

Puis il a lâché un rot et remis le film.

Évidemment, Jeremiah avait raison. J'étais amoureuse de Conrad. J'aurais pu dire à quel moment précis j'en avais eu la certitude. Conrad s'était levé de bonne heure afin de préparer un petit déjeuner spécial pour la fête des Pères, seulement M. Fisher n'avait pas pu arriver dans la nuit comme prévu. Conrad s'était quand même mis aux fourneaux ; il avait treize ans et cuisinait comme un pied, mais nous avions tout mangé. Alors qu'il nous servait des œufs caoutchouteux en essayant de dissimuler son chagrin, j'avais pensé : *j'aimerai toujours ce garçon.*

Chapitre quarante-deux

16 ans

Il était parti courir sur la plage. C'était une habitude qu'il avait prise récemment – je le savais parce que je l'avais vu de la fenêtre de ma chambre deux matins de suite. Il revenait au bout d'une heure environ. Il portait un short de course et un tee-shirt. La transpiration avait dessiné un cercle au milieu de son dos.

Je suis sortie sur la véranda sans avoir vraiment préparé ce que j'allais dire. Tout ce que je savais, c'était que l'été touchait à sa fin. Bientôt il serait trop tard. On reprendrait la voiture et je ne lui aurais pas parlé. Jeremiah avait tout déballé ; mon tour était venu. Je ne pouvais pas entamer une nouvelle année sans avoir ouvert la bouche. Ma peur du changement et la crainte de faire dériver de sa route notre petit voilier estival me paralysaient. Mais Jeremiah, lui, s'était confié et nous étions toujours en vie. Nous restions les mêmes.

Je devais lui dire ce que j'avais sur le cœur, c'était impératif, ça finirait par me tuer sinon. Je ne pouvais pas continuer à espérer quelque chose de quelqu'un qui ne m'aimerait peut-être pas en retour. Il fallait que je sache. C'était maintenant ou jamais.

Il ne m'a pas entendue arriver dans son dos. Il était penché en avant pour délacer ses baskets.

— Conrad... ai-je lancé.

Il n'a pas réagi et j'ai répété son prénom, plus fort.

— Conrad.

Il a relevé la tête, visiblement surpris. Puis il s'est redressé.

— Salut...

Je le prenais au dépourvu, c'était bon signe. Conrad passait son temps à construire des murs autour de lui. Peut-être que si je me mettais à parler tout de suite, il ne pourrait pas en élever un autre...

Je me suis lancée. J'ai dit les premiers mots qui m'ont traversé l'esprit, ceux que je portais dans mon cœur depuis le début :

— Je t'aime depuis que j'ai dix ans.

Il n'a pas réussi à dissimuler son trouble.

— Tu es le seul garçon auquel j'aie jamais pensé. Toute ma vie, il n'y a eu que toi. Tu m'as appris à danser et tu m'as sauvée le jour où j'avais nagé trop loin. Tu t'en souviens ? Tu es resté avec moi, tu m'as ramenée au rivage. Tout le temps où on était dans l'eau tu répétais : « On y est presque », et j'y ai cru. J'y ai cru, parce que je croyais tout ce qui sortait de ta bouche. Comparé à toi, tout le monde est aussi insipide qu'un cracker, même Cam. Et j'ai horreur des crackers, tu le sais. Tu sais tout de moi, tout, tu sais même que je t'aime.

J'étais hors d'haleine. J'avais l'impression que mon cœur allait exploser, tellement il était plein. J'ai relevé mes cheveux en queue-de-cheval et je les ai tenus d'une main, en attendant qu'il dise quelque chose, n'importe quoi.

Au bout de ce qui m'a semblé une éternité, il a lâché :

– Tu ne devrais pas. Je ne suis pas le bon. Désolé.

C'est tout ce qu'il a dit. J'ai expiré bruyamment sans le quitter des yeux.

– Je ne te crois pas. Je te plais aussi, je le sais.

Je l'avais vu me regarder quand j'étais avec Cam, je l'avais vu.

– Pas comme tu aimerais, a-t-il répondu en poussant un soupir triste, comme s'il avait de la peine pour moi. Tu es encore une gamine, Belly.

– Je ne suis plus une gamine ! Ça t'arrangerait, hein, comme ça tu n'aurais pas à affronter la situation ! C'est pour cette raison que tu as été en pétard contre moi tout l'été, ai-je ajouté d'une voix de plus en plus forte. Je te plais. Reconnais-le !

– Tu es cinglée, a-t-il dit avant de s'éloigner en ricanant.

Cette fois, je ne le laisserais pas s'en tirer à si bon compte. J'en avais plus qu'assez de son numéro de taciturne tourmenté à la James Dean. Il avait des sentiments pour moi, je le savais. Je ne le lâcherais pas tant qu'il ne l'aurait pas avoué.

Je l'ai attrapé par la manche de son tee-shirt.

— Reconnais-le ! Tu étais furax quand j'ai commencé à sortir avec Cam. Tu voulais que je continue à t'admirer.

— Quoi ? s'est-il écrié en se dégageant. Réveille-toi, Belly ! Le monde ne tourne pas autour de toi !

Mes joues étaient en feu ; je sentais que ma peau rougissait. C'était comme un coup de soleil en mille fois pire.

— Ah oui, parce qu'il tourne autour de toi, c'est ça ?

— Tu ne sais pas ce que tu racontes.

C'était un avertissement, mais je n'y ai prêté aucune attention. J'étais sortie de mes gonds. Je disais enfin ce que j'avais sur le cœur et il était trop tard pour faire marche arrière.

J'ai continué à l'affronter. Il n'allait pas se défiler, pas cette fois.

— Tu veux que je reste amoureuse, c'est ça ? Que je te coure après parce que ça fait du bien à ton ego ? Dès que tu sens que je m'éloigne, tu essaies à nouveau de me ferrer. Tu es complètement tordu. Mais je te préviens, Conrad, c'est terminé.

— De quoi est-ce que tu parles ? a-t-il demandé en s'éloignant.

J'ai couru me placer devant lui avant de reprendre :

— C'est terminé, je ne serai plus là pour toi. Ni en tant qu'amie, ni en tant qu'admiratrice ou je ne sais quoi. J'en ai assez.

— Qu'est-ce que tu attends de moi ? a-t-il rétorqué avec un rictus. Ton petit copain ne te suffit plus pour faire mumuse ?

En secouant la tête, j'ai commencé à reculer.

– Tu dis n'importe quoi...

Il avait tout faux, je ne manipulais personne. C'était lui qui me faisait marcher depuis toujours. Il connaissait mes sentiments, il m'avait laissée l'aimer. C'était ce qu'il voulait.

– Un coup, je te plais, un coup c'est Cam... a-t-il lancé en s'approchant de moi. Et ensuite c'est Jeremiah. C'est faux ? Tu veux le beurre et l'argent du beurre, mais aussi le crémier et son petit frère...

– Tais-toi ! ai-je hurlé.

– C'est toi qui joues, Belly.

Il essayait d'affecter la décontraction, mais son corps entier était crispé, chacun de ses muscles était aussi tendu que ses cordes de guitare à la noix.

– Tu as été odieux tout l'été, tu ne penses qu'à toi. Je sais, tes parents divorcent ! Et alors ? Tu n'es pas le premier à qui ça arrive. Et ce n'est pas une excuse pour traiter les gens comme des moins que rien.

Il a détourné la tête brusquement.

– Ferme-la ! a-t-il lâché, la mâchoire serrée.

J'avais enfin réussi, je l'avais poussé dans ses retranchements.

– Susannah pleurait l'autre jour à cause de toi... Elle ne pouvait presque plus sortir du lit ! Mais est-ce que tu en as seulement quelque chose à fiche ? Tu sais à quel point tu es égoïste ?

Il s'est rapproché si près que nos visages se touchaient presque, si près qu'il aurait pu me frapper ou m'embrasser. J'entendais mon cœur battre dans mes oreilles. J'étais tellement en colère que je souhaitais presque qu'il me gifle. Je savais qu'il ne le ferait jamais, jamais de la vie. Il m'a attrapé les bras et m'a secouée avant de me libérer tout aussi brusquement. Je sentais les larmes monter. L'espace d'une seconde j'avais cru qu'il allait le faire.

Qu'il allait m'embrasser.

Je sanglotais quand Jeremiah nous a rejoints. Il revenait du country-club, ses cheveux étaient encore mouillés. Je n'avais même pas entendu sa voiture arriver. Au premier regard, il a compris que quelque chose de grave s'était passé. Il avait presque l'air effrayé.

– Qu'est-ce qui vous prend ? Conrad, c'est quoi ton problème ?

En lui jetant un regard noir, Conrad a répondu :

– Empêche-la de m'approcher. Je ne suis pas en état de régler ce problème.

J'ai tressailli. C'était comme s'il venait de me gifler. C'était pire.

Il a voulu s'éloigner, mais Jeremiah l'a retenu par le bras.

– Il est temps que tu affrontes la situation, Rad, tu déconnes à pleins tubes. Tu ne peux pas continuer à passer ta colère sur tout le monde. Laisse Belly tranquille.

J'ai frissonné. Était-ce à cause de moi ? Si Conrad avait été aussi sombre, s'il s'était enfermé dans sa chambre tout l'été, était-ce vraiment à cause de moi ? Y avait-il autre chose que le divorce de ses parents ? Avait-il été bouleversé à ce point de me voir avec un garçon ?

Conrad a tenté de se libérer.

– Et pourquoi tu ne me laisserais pas tranquille, toi ? Pourquoi on n'essaierait pas ça plutôt ?

Mais Jeremiah a tenu bon.

– On t'a laissé tranquille. Tout l'été, on t'a laissé te soûler et bouder comme un bébé. Tu es censé être l'aîné, tu as oublié ? Le grand frère ! Comporte-toi comme un adulte, abruti. Sois un homme, règle ton problème.

– Dégage, a grogné Conrad.

– Non !

Jeremiah s'est avancé jusqu'à ce que leurs visages ne soient plus qu'à quelques centimètres l'un de l'autre, exactement comme Conrad et moi moins de quinze minutes plus tôt. D'une voix menaçante, celui-ci a grondé :

– Je te préviens, Jeremiah...

Ils étaient comme deux chiens enragés, qui grognaient et crachaient en se tournant autour. Ils avaient oublié ma présence. J'avais l'impression d'assister à un spectacle que je n'étais pas autorisée à voir, j'avais l'impression de les espionner. J'aurais voulu plaquer mes mains sur mes oreilles. Je ne les avais jamais vus dans un tel état, alors que je les connaissais depuis toujours. Ils s'étaient déjà disputés, mais pas comme ça, jamais. J'aurais dû partir, je le savais, mais je n'arrivais pas à m'y résoudre. Je suis restée plantée là, les bras serrés contre la poitrine.

– Tu ne vaux pas mieux que papa ! a crié Jeremiah.

À ce moment-là j'ai compris que ça n'avait rien à voir avec moi. La situation me dépassait complètement, j'ignorais tout de ce qui se tramait.

Conrad a repoussé brutalement Jeremiah, qui lui a rendu la pareille. Conrad a trébuché et failli tomber. Quand il a retrouvé son équilibre, il a balancé son poing en plein dans le visage de son frère. Je crois que j'ai hurlé. Ils se battaient pour de bon maintenant ; ils s'agrippaient, se frappaient et s'insultaient, la respiration lourde. Ils ont renversé l'énorme pichet en verre de thé glacé de Susannah, qui s'est brisé dans sa chute. Le thé a éclaboussé le plancher de la véranda. Il y avait du sang dans le sable. J'ignorais à qui il appartenait.

Ils ont continué à se castagner à proximité des morceaux de verre, alors que Jeremiah menaçait de perdre ses tongs à tout instant. Je leur ai demandé d'arrêter à plusieurs reprises, mais ils ne m'entendaient pas. Je n'avais jamais remarqué à quel point ils se ressemblaient. À cet instant précis, on voyait qu'ils étaient frères. Ils ont continué jusqu'à ce que, soudain, ma mère s'interpose. J'imagine qu'elle était sortie par la porte de derrière, je ne suis pas sûre. En tout cas, elle était là. Elle les a séparés avec cette force brute, incroyable, que seules les mères possèdent.

Elle les a maintenus à distance, une main posée sur le torse de chacun.

– Il faut que vous arrêtiez, a-t-elle dit d'une voix où ne pointait pas la colère mais la tristesse.

On aurait cru qu'elle allait se mettre à pleurer et ma mère ne pleurait jamais.

Ils n'ont pas échangé un seul regard, mais j'ai senti qu'ils se comprenaient tous les trois. Ils saisissaient quelque chose qui m'échappait. Je n'étais qu'une spectatrice. Ça m'a rappelé la fois où j'avais été à l'église avec Taylor : j'avais été la seule à ne pas chanter. L'assemblée entière avait levé les bras en l'air et s'était balancée en rythme sur des chants dont elle connaissait les paroles par cœur, et je m'étais sentie comme une intruse.

— Vous êtes au courant, c'est ça ? a demandé ma mère en laissant retomber ses bras.

Jeremiah a pris une inspiration, il voulait se ressaisir, il essayait de retenir ses larmes. Des contusions commençaient déjà à apparaître sur son visage. L'expression de Conrad, en revanche, était indifférente, distante. Comme s'il n'était pas là.

Jusqu'à ce que, soudain, son masque se fissure ; il était redevenu un gamin de huit ans. Je me suis retournée et j'ai découvert Susannah dans l'encadrement de la porte. Elle portait une robe en coton blanc qui lui donnait l'air si fragile...

— Je suis désolée, a-t-elle dit en levant les mains dans un geste d'impuissance.

Elle s'est avancée vers les garçons, d'un pas hésitant, et ma mère a reculé. Susannah a ouvert les bras, Jeremiah s'y est aussitôt réfugié. Il avait beau être beaucoup plus grand qu'elle, il paraissait tout petit. Comme il était blessé au visage, il a laissé des traces de sang sur la robe blanche, mais il ne s'est pas écarté pour autant. Je ne l'avais pas entendu sangloter ainsi depuis que Conrad avait accidentellement refermé la portière de la voiture sur sa main, des années auparavant. Conrad avait pleuré aussi fort que son frère ce jour-là. Ses yeux restaient secs à présent. Il a laissé Susannah passer une main dans ses cheveux, mais il n'a pas versé une larme.

— Allons-y, Belly, a dit ma mère en me prenant la main.

Elle ne l'avait pas fait depuis longtemps. Je l'ai suivie à l'intérieur, comme une petite fille. On est montées dans sa chambre. Elle a fermé la porte et s'est assise sur le lit. Je me suis installée à côté d'elle.

— Qu'est-ce qui se passe ? ai-je demandé d'une voix hésitante en cherchant une réponse sur son visage.

Elle a pris mes mains dans les siennes. Elle les a serrées très fort, on aurait dit que c'était elle qui avait besoin de moi, et pas l'inverse.

— Belly, Susannah est de nouveau malade.

J'ai fermé les yeux. J'entendais l'océan gronder autour de moi, comme si j'avais pressé une conque contre mon oreille. C'était faux, c'était faux. J'étais ailleurs, n'importe où, mais pas là. Je nageais sous un ciel étoilé, j'étais en cours de maths, je faisais du vélo sur le chemin derrière chez nous. Je n'étais pas là. Ce n'était pas en train d'arriver.

— Oh, ma puce, a-t-elle soupiré, il faut que tu me regardes, il faut que tu m'écoutes.

Je ne regarderais pas. Je n'écouterais pas. Je n'étais pas là.

— Elle est malade. Depuis un long moment. Le cancer est revenu. Et il... il est agressif. Son foie est atteint.

J'ai rouvert les yeux et j'ai retiré mes mains.

– Tais-toi. Elle n'est pas malade, elle va bien. Elle reste Susannah.

Mon visage était trempé, je ne m'étais même pas rendu compte que j'avais commencé à pleurer. Ma mère a acquiescé, s'est humecté les lèvres.

– Tu as raison, elle reste Susannah. Elle fait les choses à sa manière. Elle ne voulait pas vous mettre au courant, elle voulait que cet été soit... parfait.

Elle a tressailli à ce mot, comme si c'était un caillou dans sa chaussure, et ses yeux se sont remplis de larmes.

Elle m'a attirée vers elle, m'a serrée contre sa poitrine et m'a bercée. Je me suis abandonnée.

– Mais ils étaient au courant, ai-je gémi. Tout le monde était au courant sauf moi. J'étais la seule à ne pas savoir, alors que je l'aime plus que n'importe qui.

Ce n'était pas vrai, bien sûr, Jeremiah et Conrad l'aimaient plus que tout. Mais j'avais l'impression que c'était la vérité. J'aurais voulu dire à ma mère que ce n'était pas si grave, que Susannah avait déjà guéri d'un cancer. Elle guérirait de nouveau. Mais le dire à haute voix serait revenu à admettre qu'elle était malade, que c'était réellement en train d'arriver. Et j'en étais incapable.

Ce soir-là, j'ai pleuré dans mon lit. J'avais mal partout. J'ai ouvert les fenêtres et je me suis allongée dans le noir pour écouter l'océan. Si seulement les vagues avaient pu m'emporter au loin pour toujours. Je me suis demandé si Conrad et Jeremiah ressentaient la même chose. Et ma mère aussi.

J'avais l'impression que le monde s'écroulait et que plus rien ne serait jamais pareil. Sans doute parce que c'était le cas.

Chapitre quarante-trois

16 ans

Quand nous étions petits et que la maison était pleine de gens comme mon père, M. Fisher et d'autres amis, Jeremiah et moi partagions un lit, Conrad et Steven un autre. Ma mère montait nous border. Les garçons protestaient en disant qu'ils étaient trop grands, mais je savais qu'ils aimaient autant que moi cette sensation ; être comme un papillon dans son cocon, comme un burrito roulé bien serré. Bercés par la musique qui nous parvenait du rez-de-chaussée, on se racontait, Jeremiah et moi, des histoires horribles jusqu'à ce que le sommeil vienne. Il s'endormait toujours le premier. Je le pinçais pour le réveiller, mais ça ne marchait jamais. Je crois que je n'avais plus jamais éprouvé le même sentiment de sécurité depuis. J'avais l'impression que rien ne pouvait m'arriver.

La nuit de leur bagarre, j'ai frappé à la porte de Jeremiah.

– Oui, a-t-il répondu.

Il était allongé sur son lit, les mains croisées sous la nuque, et il fixait le plafond. Ses joues étaient humides, ses yeux rouges et gonflés. En prime, le droit était d'une couleur grise qui tirait sur le violet et avait commencé à enfler. Dès que Jeremiah m'a aperçue, il s'est essuyé les yeux du revers de la main.

– Salut, je peux entrer ?

– Ouais, bien sûr, a-t-il dit en se redressant.

Je me suis assise au bout du lit, le dos appuyé contre le mur.

– Je suis désolée...

J'avais préparé un discours, j'avais soigneusement choisi les mots pour lui dire combien j'étais désolée. Pour tout. Mais j'ai fondu en larmes et ça a tout gâché.

Il s'est approché et a placé maladroitement son bras autour de mes épaules. Il était incapable de soutenir mon regard, ce qui, d'une certaine façon, me facilitait la tâche.

– C'est injuste, ai-je dit avant de me remettre à sangloter.

– Tout l'été, j'ai pensé que ce serait sans doute le dernier. C'est son endroit préféré, tu sais. Je voulais qu'il soit parfait, pour elle, mais Conrad a tout gâché. Je ne connais personne de plus égoïste que lui. À part mon père.

Il a du chagrin, également, ai-je pensé. Mais j'ai gardé mes réflexions pour moi, parce que je savais que ça ne servirait à rien de les partager.

– J'aurais aimé être au courant. Si j'avais été plus attentive, les choses auraient été différentes.

Jeremiah a secoué la tête.

— C'était ce qu'elle voulait. Elle aurait préféré qu'aucun d'entre nous ne soit au courant. C'est pour cette raison qu'on a fait semblant, Conrad et moi. Pour elle. Mais j'aurais peut-être dû t'en parler... les choses auraient été plus simples, d'une certaine façon.

Il s'est essuyé les yeux avec le col de son tee-shirt. Je voyais bien qu'il s'efforçait de tenir le coup, d'être fort, alors je l'ai serré dans mes bras. Un frisson l'a parcouru et quelque chose s'est brisé en lui. Il s'est mis à pleurer, silencieusement. On a sangloté ensemble, les épaules tremblantes, accablés par ce poids immense. Ça a duré longtemps. Lorsque nos larmes se sont taries, il m'a lâchée pour s'essuyer le nez.

— Pousse-toi, lui ai-je lancé.

Il s'est rapproché du mur et j'ai étendu mes jambes le long des siennes.

— Je dors ici, d'accord.

Ce n'était pas une question.

Il a acquiescé et on s'est endormis tout habillés, sur le dessus-de-lit, tournés l'un vers l'autre. On était grands maintenant, pourtant c'était comme autrefois.

Je me suis réveillée de bonne heure le lendemain matin, recroquevillée au bord du lit. Jeremiah avait pris toute la place et il ronflait. Je l'ai recouvert de mon mieux avec le couvre-lit, ça faisait comme un sac de couchage, puis je l'ai laissé pour retourner dans ma chambre.

J'avais la main sur la poignée de ma porte, lorsque j'ai entendu la voix de Conrad.

– Bonjouuuuur !

J'ai aussitôt su qu'il m'avait vue sortir de la chambre de Jeremiah.

J'ai pivoté lentement. Il portait ses vêtements de la veille, comme moi ; les siens étaient chiffonnés. Il a vacillé. J'ai cru qu'il allait vomir.

– Tu es bourré ?

Il a haussé les épaules comme si rien ne pouvait avoir moins d'importance, mais son mouvement était saccadé, il manquait de naturel.

– T'es pas censée être gentille avec moi ? a-t-il demandé d'un ton sarcastique. Comme avec Jeremiah hier soir ?

J'ai failli me défendre, riposter qu'il ne s'était rien passé, qu'on avait seulement pleuré toutes les larmes de notre corps. Mais je n'en avais aucune envie. Conrad ne méritait pas de savoir ce qui était arrivé.

– Je ne connais personne de plus égoïste que toi, ai-je rétorqué avec une lenteur calculée.

J'ai laissé chaque mot perforer l'air. Je n'avais jamais eu envie de blesser davantage quelqu'un de ma vie.

– Je n'en reviens pas d'avoir cru un jour que je t'aimais.

Il est devenu livide. Il a ouvert la bouche, l'a refermée. Une première puis une seconde fois. Je ne l'avais jamais vu à court de mots avant.

Je suis entrée dans ma chambre. J'avais cloué le bec de Conrad, j'avais réussi. J'avais enfin tourné la page. J'avais le sentiment d'avoir retrouvé ma liberté, même si je l'avais payée très cher. Ce n'était pas une sensation agréable, pourtant. Avais-je seulement le droit de lui parler ainsi alors qu'il souffrait autant ? Avais-je le moindre droit sur lui ? Il avait du chagrin, après tout.

Je me suis réfugiée sous les couvertures et mes larmes se sont remises à couler alors que je croyais qu'il ne m'en restait plus. Tout allait de travers.

Comment avais-je pu passer l'été entier à penser aux garçons, à la natation et à mon bronzage, alors que Susannah était malade ? La vie sans elle me paraissait impossible. Inconcevable. Et je n'arrivais même pas à imaginer ce que pouvaient ressentir Jeremiah et Conrad. C'était leur mère.

J'ai rouvert l'œil à onze heures, mais je suis restée au lit. J'avais peur d'affronter Susannah, peur de sa réaction quand elle verrait que je savais.

Vers midi, ma mère est entrée dans ma chambre sans frapper.

– Debout là-dedans ! a-t-elle lancé en parcourant du regard mon bazar.

Elle a ramassé un short et un tee-shirt et me les a collés entre les mains.

– Je ne suis pas prête à sortir du lit, ai-je répliqué en lui tournant le dos.

Je lui en voulais, j'avais l'impression d'avoir été piégée. Elle aurait dû m'en parler. Elle aurait dû me mettre en garde. Je l'avais toujours crue incapable de mentir, pourtant elle me l'avait caché. Toutes ces fois où elles étaient soi-disant en train de faire les boutiques ou de visiter un musée, où elles s'absentaient des journées entières, elles allaient en réalité voir des médecins à l'hôpital. Je comprenais maintenant. Et je regrettais d'avoir été aussi aveugle.

Elle s'est assise sur mon lit et m'a gratté le dos. Le contact de ses ongles sur ma peau était agréable.

– Tu dois sortir du lit, Belly, a-t-elle dit doucement. Tu es toujours en vie, Susannah aussi. Tu dois être forte, elle a besoin de toi.

Ses paroles n'étaient pas dénuées de bon sens. Si Susannah avait besoin de moi, alors je ne pouvais pas rester les bras croisés.

– D'accord, ai-je répondu en me retournant pour lui faire face. Explique-moi seulement comment M. Fisher peut l'abandonner au moment où elle a le plus besoin de lui.

Elle a fixé la fenêtre, le regard perdu au loin, avant de me regarder.

– C'est ce que souhaite Beck. Et Adam est comme il est.

Elle a posé une main sur ma joue avant d'ajouter :

– Ce n'est pas à nous de décider.

Susannah préparait des muffins aux myrtilles dans la cuisine. Adossée au comptoir, elle battait la pâte dans un grand bol en acier. Elle portait une autre de ses robes en coton et je me suis soudain rendu compte qu'elle n'avait rien mis d'autre de l'été, parce qu'elles étaient larges et dissimulaient combien ses bras étaient maigres, ses clavicules saillantes sous sa peau.

Elle ne m'avait pas encore aperçue et j'ai eu la tentation de prendre mes jambes à mon cou avant qu'il ne soit trop tard. Mais je ne l'ai pas fait. Je ne pouvais pas.

— Bonjour, Susannah, ai-je lancé d'une voix aiguë et forcée qui sonnait faux.

Elle a relevé la tête en souriant.

— Il est plus de midi, tu pourrais presque dire bonsoir...

— Bon après-midi, alors, ai-je rétorqué en restant près de la porte.

— Tu es en colère contre moi, toi aussi ? m'a-t-elle demandé.

Son ton était léger, mais l'inquiétude se lisait dans son regard.

— Je ne pourrai jamais être en colère contre toi, ai-je dit en venant me placer dans son dos et en lui prenant la taille.

J'ai glissé ma tête entre son cou et son épaule. Elle sentait bon les fleurs.

— Tu veilleras sur lui, hein ? a-t-elle repris de son ton léger.

— Sur qui ?

J'ai senti qu'elle souriait.

— Tu sais très bien qui.

— Oui, ai-je chuchoté en la serrant fort.

— Bien... il a besoin de toi.

Je ne lui ai pas demandé de qui elle parlait. C'était inutile.

– Susannah ?

– Mmmm.

– Promets-moi quelque chose.

– Ce que tu veux.

– Promets-moi de ne jamais partir.

– Promis, a-t-elle répondu sans hésiter.

J'ai poussé un soupir avant de la lâcher.

– Je peux t'aider ?

– Avec grand plaisir.

J'ai préparé une pâte croustillante avec du beurre, du sucre roux et des flocons d'avoine pour gratiner le dessus des muffins. On les a sortis du four trop tôt, parce qu'on en avait assez d'attendre. Ils étaient brûlants et le cœur n'était pas assez cuit, mais on les a mangés quand même. J'en ai avalé trois. En la regardant beurrer le sien, j'ai eu l'impression qu'elle serait toujours là.

Je ne sais plus comment on en est venues à parler de soirées dansantes. Susannah adorait les trucs de filles et j'étais la seule avec qui elle pouvait aborder ces sujets. Ma mère ne l'aurait pas écoutée, Conrad et Jeremiah encore moins. Il n'y avait que moi, sa fille de cœur.

– N'oublie pas de m'envoyer des photos de ton premier bal.

Je n'avais pas encore mis le pied à un seul. Personne ne m'avait invitée. Et, de toute façon, le seul cavalier dont je rêvais n'était pas dans mon lycée.

— Promis, ai-je répondu. Je porterai la robe que tu m'as achetée l'été dernier.

— Quelle robe ?

— Celle en soie prune, au sujet de laquelle vous vous étiez disputées, maman et toi. Tu l'avais glissée dans ma valise, tu te souviens ?

Elle a froncé les sourcils de perplexité.

— Je ne t'ai jamais acheté cette robe ; Laurel aurait fait une attaque.

Son visage s'est éclairé et elle a ajouté, en souriant :

— C'est ta mère qui a dû y retourner.

— Ma mère ?

Je n'arrivais pas à y croire.

— C'est tout elle.

— Mais elle n'a jamais rien dit...

J'ai laissé la fin de ma phrase en suspens. Je n'avais même pas envisagé cette possibilité.

— Non, bien sûr, ce n'est pas son genre, a dit Susannah en tendant le bras en travers de la table pour me prendre la main. Tu es la fille la plus chanceuse de la Terre, tu le sais, n'est-ce pas ?

Le ciel était gris, la température avait baissé. Il ne tarderait pas à pleuvoir.

Il y avait tellement de brume que j'ai mis du temps à le trouver. J'ai fini par le repérer, à un peu moins d'un kilomètre de la maison. Sur la plage, évidemment. Il était assis, les genoux ramenés contre la poitrine. Il ne m'a pas regardée quand je me suis assise à côté de lui, il avait les yeux rivés sur l'océan. On aurait dit deux trous béants, deux abîmes vides. Le garçon que je croyais connaître si bien avait disparu. Il semblait complètement perdu.

J'ai ressenti le besoin, si familier, d'aller vers lui, comme si j'étais incapable de résister à son attraction, comme si je devais me fondre en lui – j'avais la certitude que je saurais toujours le retrouver où qu'il se cache, et que je le ferais. Je le ramènerais à la maison. Je prendrais soin de lui, comme Susannah me l'avait demandé.

J'ai rompu le silence.

– Je suis désolée, Conrad, si tu savais à quel point... Si seulement j'avais été au courant...

– Arrête, s'il te plaît.

– Je suis désolée, ai-je chuchoté en me relevant.

Je ne disais jamais ce qu'il fallait.

– Ne pars pas...

Ses épaules se sont affaissées, son visage s'est brisé en mille morceaux. Il l'a enfoui dans ses mains. Il avait à nouveau cinq ans, comme moi.

– Je lui en veux tellement, a-t-il lâché.

Chacun des mots sortait de sa bouche comme un souffle qu'il aurait retenu trop longtemps. Il avait l'échine courbée, la tête baissée ; il pleurait enfin. Je l'ai observé en silence. J'avais le sentiment de violer un moment d'intimité – il ne m'aurait jamais permis d'y assister s'il n'avait pas été aussi triste. Conrad aimait avoir le contrôle de la situation.

J'ai cessé de lutter contre le courant, je me suis laissée aller. Je n'étais pas assez forte pour lui résister – pour résister au premier amour. J'en revenais à cet endroit, là, à Conrad. Sa simple présence continuait à me couper le souffle. Je m'étais menti à moi-même la veille, en me croyant libre, en croyant avoir tourné la page. Peu importait ce qu'il disait, ce qu'il faisait, je ne cesserais jamais de l'aimer.

Était-il possible de prendre la douleur de quelqu'un avec un baiser ? J'avais envie de lui arracher toute sa tristesse, de le consoler pour qu'il redevienne lui-même. J'ai posé une main sur sa nuque. Il a légèrement tressailli, mais je ne l'ai pas ôtée, je lui ai caressé les cheveux. Puis j'ai attiré sa tête vers moi et je l'ai embrassé. Timidement d'abord, jusqu'à ce qu'il me rende mon baiser. Ses lèvres étaient tièdes et avides, il avait besoin de moi. Le vide s'est fait dans mon esprit, il n'y avait plus qu'une seule pensée : *Je suis en train d'embrasser Conrad Fisher*. Susannah était mourante et j'embrassais Conrad.

Il s'est reculé en premier.

— Je suis désolé, a-t-il dit d'une voix rauque.

J'ai effleuré mes lèvres du revers de la main.

— Pourquoi ?

Je n'arrivais pas à reprendre mon souffle.

— Ça ne peut pas arriver comme ça, a-t-il dit avant de s'interrompre un instant. Je pense tout le temps à toi, c'est vrai, mais je ne peux pas... Est-ce que tu veux bien... Tu veux bien simplement rester avec moi ?

J'ai hoché la tête en silence. J'avais trop peur d'ouvrir la bouche.

Je lui ai serré la main, je n'avais pas eu l'impression de faire ce qu'il fallait depuis longtemps. On est restés assis, main dans la main, comme si c'était la chose la plus naturelle du monde. Il s'est mis à pleuvoir, doucement d'abord. Les premières gouttes ont rebondi sur le sable avant de ruisseler.

La pluie est tombée de plus en plus fort. J'aurais voulu rentrer, mais je sentais que ce n'était pas le cas de Conrad. Je n'ai pas bougé, je lui ai tenu la main en silence. Tout le reste paraissait si loin ; il n'y avait que nous.

Chapitre quarante-quatre

16 ans

À la fin de l'été, le temps ralentissait tellement qu'on en venait à avoir envie de précipiter les événements. Ça me rappelait les jours de neige. Il y avait eu une énorme tempête une fois, qui nous avait privés de cours pendant deux semaines. Au bout d'un moment, on ne rêvait plus que de sortir de la maison, même si ça impliquait de retourner au bahut. C'était pareil l'été ; le paradis peut être suffocant. Il n'y avait rien d'autre à faire qu'attendre, sur la plage, que les vacances soient terminées. Une semaine avant le départ, je me mettais à souhaiter qu'il arrive très vite. Et, évidemment, le moment venu, je n'étais plus prête. J'aurais voulu rester pour toujours. C'était totalement illogique. Dès que nous montions dans la voiture, je n'avais plus qu'une envie : retourner à la maison en courant.

Cam m'a appelée à deux reprises. Je n'ai pas décroché. La première fois, il n'a pas laissé de message. La seconde, il a dit : « Salut, c'est Cam... j'espère qu'on pourra se voir avant notre départ. Mais si ce n'est pas le cas, eh bien, c'était vraiment chouette de passer du temps avec toi. Alors, bon... Rappelle-moi, si tu veux. »

Je ne savais pas quoi lui dire. J'aimais Conrad et ce serait sans doute toujours le cas. Je l'aimerais toute ma vie, d'une façon ou d'une autre. Je me marierais peut-être avec un autre, je fonderais peut-être une famille, mais ça n'aurait aucune importance, parce qu'une partie de mon cœur, celle où vivait l'été, serait toujours à Conrad. Comment l'expliquer à Cam ? Comment lui expliquer qu'il y avait aussi une partie de mon cœur qui lui appartenait, à lui ? Il était le premier à m'avoir dit que j'étais belle, ce n'était pas rien. Mais je me sentais incapable de formuler ce que je ressentais et j'ai fait la seule chose dont je me sentais capable. C'est-à-dire rien. Je ne l'ai pas rappelé.

Avec Jeremiah, ça a été plus simple. En grande partie parce qu'il m'a laissée en paix. Il a prétendu que la conversation de ce soir-là n'avait pas eu lieu. Il a continué à raconter des blagues et à me taquiner, il a continué à être Jeremiah.

J'ai fini par comprendre Conrad. Ou plutôt j'ai compris pourquoi il m'avait dit qu'il n'était pas en état d'affronter ce qu'il y avait entre nous. Moi non plus je n'étais pas prête, d'une certaine façon. Tout ce que je voulais, c'était passer la moindre seconde à la maison, avec Susannah. Profiter jusqu'à la dernière seconde de cet été et faire comme s'il était semblable à tous ceux qui l'avaient précédé. C'était tout ce que je voulais.

Chapitre quarante-cinq

16 ans

Je détestais le jour précédant le départ : il fallait ranger la maison et, quand on était plus petits, ma mère et Susannah nous interdisaient de mettre le pied sur la plage de peur qu'on ne fiche du sable partout. On lavait les draps, on balayait, on vérifiait que les bodyboards et les matelas pneumatiques étaient bien remisés à la cave, on vidait le frigo et on préparait des sandwichs pour le trajet en voiture. Ma mère était à la barre ; elle insistait pour laisser une maison impeccable. « Comme ça elle sera prête pour l'été prochain », répétait-elle toujours. Elle ne savait pas que Susannah payait quelqu'un pour venir faire le ménage après notre départ et avant notre arrivée.

Je l'avais surprise au téléphone, une année, alors qu'elle prenait rendez-vous. Elle avait couvert le combiné d'une main et m'avait chuchoté, d'une voix coupable :

– Ne le dis pas à ta mère, Belly. Promis ?

J'avais acquiescé. On avait un secret, ça me plaisait. Ma mère adorait faire le ménage et elle ne comprenait pas qu'on puisse confier cette tâche à un tiers. « Est-ce que vous accepteriez que quelqu'un d'autre vous lave les dents ou lace vos chaussures simplement parce qu'on vous le proposerait ? » demandait-elle. Il fallait répondre non, bien sûr.

« Ne t'inquiète pas trop pour le sable », me murmurait Susannah quand elle me voyait passer le balai pour la troisième fois dans la cuisine. Mais je continuais malgré tout. Je savais trop ce que dirait ma mère si elle sentait des grains sous la plante de ses pieds.

Le dernier soir, on finissait les restes, c'était une tradition. Ma mère a fait réchauffer deux pizzas surgelées, des nouilles et du riz sautés et elle a préparé une salade de céleri et de tomates. Il y avait aussi une soupe de clams, des travers de porc et un restant de salade de pommes de terre que Susannah avait confectionnée plus d'une semaine auparavant. Un festin de vieille nourriture qui n'ouvrait l'appétit de personne.

Nous nous sommes quand même installés autour de la table de la cuisine pour piocher dans les différents plats. Conrad n'arrêtait pas de me jeter des coups d'œil, mais chaque fois que je croisais son regard il se détournait. J'aurais aimé lui dire que j'étais là, que j'étais toujours là.

On a mangé en silence jusqu'à ce que Jeremiah fasse une sortie tonitruante :

– Cette salade de pommes de terre pue carrément.

– Tu es sûr que ce n'est pas ton haleine de chacal ? a demandé Conrad.

On s'est tous esclaffés. J'étais tellement soulagée de pouvoir rire, de pouvoir ressentir autre chose que de la tristesse. Puis Conrad a lancé :

– Il y a du moisi sur ces travers de porc !

On a de nouveau éclaté de rire. J'avais l'impression que ça ne m'était pas arrivé depuis une éternité.

– Ça ne va pas te tuer, a décrété ma mère en levant les yeux au ciel. Gratte-le. Ou donne-les-moi, je les mangerai.

Conrad a levé les mains en geste de capitulation avant de planter sa fourchette dans la viande et de la déposer dans l'assiette de ma mère.

– Régale-toi, Laurel !

– Mais quels enfants pourris gâtés ! Je ne te félicite pas, Beck, a rétorqué ma mère.

Tout était redevenu normal, ce dernier dîner ressemblait à ceux des années précédentes.

– Belly est habituée à manger les restes depuis qu'elle est toute petite, n'est-ce pas, ma puce ?

– C'est vrai, ai-je répondu. J'ai été une enfant négligée, nourrie avec les vieux trucs dont personne d'autre ne voulait.

En retenant un sourire, ma mère a poussé la salade de pommes de terre dans ma direction.

– C'est vrai que je les gâte, a dit Susannah en posant une main sur l'épaule de Conrad et l'autre sur la joue de Jeremiah. Mes petits anges... Pourquoi je ne les gâterais pas ?

Les deux garçons ont échangé un regard.

— Je suis un ange, mais je pense que le terme d'angelot conviendrait mieux à Jeremiah, a rétorqué Conrad en ébouriffant les cheveux de son frère.

— Toi, un ange ? a-t-il riposté en repoussant sa main. Tu es le diable, oui !

La bagarre n'était plus qu'un souvenir lointain. C'était comme ça avec les garçons : ils se battaient, puis ils passaient à autre chose.

Ma mère a considéré le travers de porc d'un air dégoûté avant de soupirer :

— Je ne peux pas manger ça.

— Ce n'est pas un peu de moisi qui va te tuer ! a lancé Susannah en s'esclaffant et en chassant une mèche de cheveux de ses yeux. Vous savez ce qui peut tuer, en revanche ? a-t-elle ajouté en brandissant sa fourchette.

Tous nos regards étaient fixés sur elle.

— Le cancer, a-t-elle lâché d'un air triomphal.

Elle aurait pu battre le champion du monde de poker. Elle est restée impassible pendant quatre secondes entières avant de se mettre à glousser, secouée par des spasmes. Elle a frotté le crâne de Conrad jusqu'à ce qu'elle réussisse à lui arracher un sourire. Je voyais bien qu'il n'en avait pas envie, mais il l'a fait. Pour elle.

— Écoutez-moi, a-t-elle repris. Voilà ce qu'il en est : je vois mon acupuncteur et je prends des médicaments. Je me bats de toutes mes forces. Les médecins disent qu'à ce stade c'est ce qu'il y a de mieux à faire. Je refuse d'empoisonner davantage mon corps ou de perdre plus de temps à l'hôpital. Je veux être là, avec les gens qui comptent le plus pour moi. D'accord ?

Elle nous a tous balayés du regard.

– D'accord, avons-nous répondu en chœur, mais notre assentiment n'avait rien de forcé ou de formel.

– Si jamais je dois bientôt partir me la couler douce là-haut, je n'ai pas envie de m'en aller avec le sentiment d'avoir passé l'essentiel de ma vie dans un hôpital. Je veux au moins être bronzée. Aussi bronzée que Belly, a-t-elle ajouté en pointant sa fourchette dans ma direction.

– Beck, si tu veux le bronzage de Belly, tu as besoin de temps, a riposté ma mère avec sa logique implacable. Tu n'y arriveras pas en un an. Ma fille n'est pas née comme ça ; il lui a fallu des années pour perfectionner son teint. Tu n'es pas encore prête.

Aucun de nous n'était prêt.

Après le dîner, on s'est séparés pour monter faire nos bagages. La maison était calme, trop calme. J'ai rangé mes vêtements, mes chaussures, mes livres. J'ai gardé le maillot pour la fin. Je voulais un dernier bain.

Après avoir enfilé mon nageur, j'ai écrit deux mots, un pour Jeremiah et un pour Conrad. Ils disaient la même chose : « Bain de minuit. Rendez-vous dans dix minutes. » J'ai glissé les morceaux de papier sous leurs portes et j'ai couru en bas aussi vite que possible – ma serviette flottait derrière moi comme un drapeau. Je ne pouvais pas laisser l'été se terminer ainsi. On ne pouvait pas quitter la maison sans partager un moment joyeux.

La maison était plongée dans l'obscurité et je suis sortie sans allumer une seule lumière. C'était inutile : je connaissais le chemin les yeux fermés.

À peine arrivée, j'ai plongé dans la piscine. Enfin, c'était moins un plongeon qu'un gros plat sur le ventre. Le dernier de cet été et peut-être de ma vie – dans cet endroit, en tout cas. La nuit était claire et, en attendant les garçons, j'ai fait la planche : j'ai compté les étoiles au son des vagues. Lorsque l'océan était à marée basse, leur murmure ressemblait à une berceuse. J'aurais voulu que cet instant dure pour l'éternité. J'aurais voulu le placer sous une cloche, comme dans ces boules à neige : un moment parfait figé pour toujours.

Les garçons étaient ensemble, ils avaient dû se croiser dans les escaliers. Ils portaient leur maillot de bain. Je me suis soudain rendu compte que je n'avais pas vu Conrad en maillot depuis notre premier bain, le jour de notre arrivée. Quant à Jeremiah, on n'avait pas dû aller plus de deux fois à l'océan ensemble. Quand je n'étais pas avec Cam, j'étais toute seule. Cette pensée m'a plongée dans une profonde mélancolie : c'était sans doute notre dernier été ensemble et nous ne nous étions presque pas baignés.

– Salut ! ai-je lancé, toujours sur le dos.

Conrad a plongé un orteil dans la piscine.

– Elle est un peu froide, non ?

– Quelle poule mouillée ! Jette-toi à l'eau qu'on en finisse !

Ils ont échangé un regard avec Jeremiah, puis celui-ci a pris son élan pour sauter dans une énorme gerbe.

Conrad l'a aussitôt imité. J'ai avalé des litres d'eau parce que je riais aux éclats, mais ça m'était complètement égal.

On a nagé jusqu'à l'endroit le plus profond du bassin, il fallait remuer les jambes pour rester à la surface. Conrad a chassé une mèche de cheveux de mes yeux. C'était un petit geste, mais Jeremiah l'a remarqué et il s'est aussitôt détourné pour rejoindre le bord de la piscine.

L'espace d'une seconde, une tristesse infinie m'a envahie, puis, soudain, comme surgie de nulle part, une idée m'est venue. Un vieux souvenir, enfoui dans mon cœur comme une fleur pressée entre les pages d'un livre. J'ai levé les bras en l'air et je me suis mise à tourner sur moi-même à la façon d'une danseuse.

Tout en tourbillonnant, j'ai commencé à réciter une comptine :

– Un crabe souviens-toi/Ça marche, ça marche/Un crabe souviens-toi/Ça marche de guingois...

Jeremiah a poursuivi en souriant :

– Un crabe méfie-toi/Ça pince, ça pince/Un crabe méfie-toi...

Et tous les trois nous avons conclu :

– Attention à tes doigts !

Puis le silence est retombé.

C'était la comptine préférée de Susannah ; elle nous l'avait apprise il y a très longtemps, à l'occasion d'une de ces balades dans la nature qu'elle affectionnait, où elle nous montrait des coquillages et des méduses. Ce jour-là, on avait arpenté la plage, bras dessus bras dessous, et on avait récité ce poème si fort qu'on avait dû réveiller tous les poissons de l'océan. On le connaissait sur le bout des doigts.

— C'est peut-être notre dernier été ici, ai-je lancé subitement.

— Impossible, a dit Jeremiah en me rejoignant.

— Conrad entre à la fac à l'automne et tu pars en colo de foot pendant quinze jours, lui ai-je rappelé.

Je savais pertinemment que ça n'avait pas grand-chose à voir avec le fait de revenir, ou pas, à Cousins. Je n'ai pas dit tout haut ce que nous pensions tout bas, à savoir que Susannah était malade, qu'elle ne guérirait peut-être jamais et que c'était elle qui nous liait les uns aux autres.

— Ce n'est pas grave, a dit Conrad en secouant la tête, on reviendra toujours.

L'espace d'une seconde je me suis demandé s'il parlait juste de lui et de Jeremiah, puis il a précisé :

— On reviendra tous.

Le silence est retombé et j'ai eu une nouvelle idée.

— Faisons un tourbillon ! ai-je proposé en tapant dans mes mains.

— Quelle gamine ! a rétorqué Conrad en secouant la tête avec un sourire.

Pour la première fois, je me fichais qu'il me traite de gamine. Ça ressemblait même à un compliment.

J'ai nagé jusqu'au milieu de la piscine.

— Allez, les gars !

Ils ont fini par céder : nous avons formé une ronde avant de courir.

– Plus vite ! a crié Jeremiah en riant.

Quand nous nous sommes arrêtés, nous avons été entraînés par le tourbillon que nous venions de former. J'ai laissé ma tête partir en arrière et le courant m'emporter.

Chapitre quarante-six

16 ans

Je n'ai pas reconnu sa voix quand il a appelé, en partie parce que j'ai été surprise par son coup de fil et en partie parce qu'il m'avait réveillée. Il m'a dit :

— Je suis en voiture, j'arrive en bas de chez toi. On peut se voir ?

Il était minuit et demi. Boston était à plus de cinq heures de route, il avait dû conduire toute la soirée. Et il voulait me voir.

Je lui ai dit de se garer dans la rue, à l'angle, je viendrais le retrouver dès que ma mère serait couchée. Il a répondu qu'il m'attendrait.

Je me suis postée près de la fenêtre pour guetter la lumière de ses phares. Dès que j'ai repéré sa voiture, j'ai eu envie de courir le rejoindre, mais je devais encore patienter. J'entendais ma mère s'agiter dans sa chambre et je la connaissais : elle lirait au moins une demi-heure avant de s'endormir. C'était une vraie torture de le savoir juste là et de ne pas pouvoir y aller aussitôt.

Dans le noir, je mets l'écharpe et le bonnet que Gran m'a tricotés pour Noël. Puis je referme la porte de ma chambre et je m'avance sur la pointe des pieds jusqu'à celle de ma mère ; je colle l'oreille contre le battant. La lumière est éteinte et je l'entends ronfler doucement. Steven n'est pas encore rentré, ce qui est une chance, parce qu'il a le sommeil aussi léger que notre père.

La maison est calme, silencieuse. Le sapin est allumé. On le laisse toute la nuit, pour conserver l'illusion qu'à n'importe quel instant le Père Noël pourrait débarquer avec des cadeaux. Je ne prends pas le temps d'écrire un message à ma mère. Je l'appellerai demain matin, quand elle aura découvert que je suis partie.

Je descends les escaliers en faisant attention à la planche qui craque, au milieu. Dès que j'ai franchi le seuil de la maison, je dévale les marches du perron, je traverse en courant la pelouse givrée. Elle crisse sous les semelles de mes baskets. J'ai oublié mon manteau. J'ai pensé à l'écharpe et au bonnet, mais pas au manteau.

Il est garé à l'angle, comme convenu. La voiture est plongée dans le noir, il a éteint les phares. J'ouvre la portière passager comme si j'avais fait ce geste un million de fois. Alors que je ne suis jamais montée dans cette voiture. Alors que je ne l'ai pas revu depuis août.

Je passe la tête à l'intérieur, mais je ne m'assieds pas, pas encore. Je veux le voir avant. C'est important. Il porte une polaire grise et ses joues sont rosies par le froid. Son bronzage a disparu, mais il est le même.

– Salut ! dis-je avant de monter.

– Tu n'as pas de manteau.

– Il ne fait pas si froid.

Je frissonne pourtant.

– Tiens, dit-il en retirant son pull pour me le passer.

Je l'enfile. Il est chaud et il ne sent pas la cigarette. Il sent son odeur. Conrad a finalement arrêté de fumer, alors. Cette pensée me fait sourire.

Il tourne la clé de contact, et je lui dis :

– Je n'en reviens pas que tu sois là.

D'une voix presque timide il répond :

– Moi non plus.

Puis il hésite avant de poursuivre :

– Tu viens toujours avec moi ?

Comment peut-il poser la question ? J'irais n'importe où avec lui.

– Oui.

Plus rien n'existe en dehors de ce mot, de cet instant. Il n'y a que nous. Tous les événements de cet été, et des étés précédents, nous ont menés là. Maintenant.

Remerciements

Avant tout, toujours, merci aux femmes de Pippin : Emily van Beek, Holly McGhee et Samantha Cosentino. Merci à mon éditrice, l'extraordinaire Emily Meehan, qui sait m'encourager comme personne, ainsi qu'à Courtney Bongiolatti, Lucy Ruth Cummins et toute l'équipe de S & S. Je remercie chaleureusement Jenna, Beverly et la Calhoun School, qui n'ont jamais cessé de soutenir mon travail d'écrivain. Ma gratitude va également à mon groupe d'écriture de Longstocking et à une personne en particulier, assise en face de moi tous les lundis et toujours réconfortante – c'est bien de toi que je parle, Siobhan. Et merci à Aram, qui m'a inspiré cette histoire sur un genre d'amitié éternel, le genre qui inclut les petits copains, les plages, l'enfance et la vie.

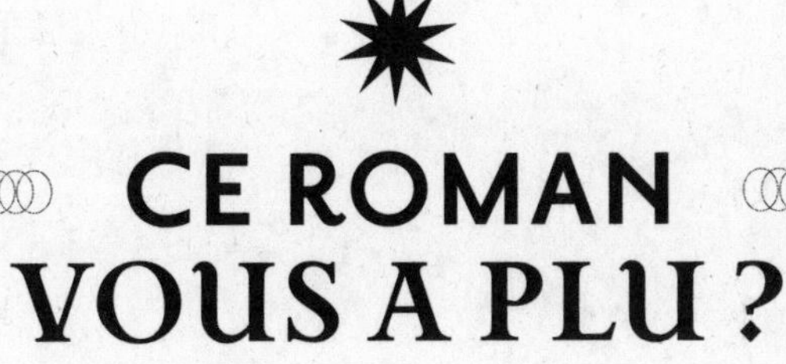

Dans quelques heures, ce sera le Nouvel An. L'eau brûlante de la douche se déverse sur moi, chassant les derniers effluves de l'année révolue. Je me frotte avec tant de ferveur que ma peau rougit et pèle sous mes doigts. Des éclats de voix, des rires, des larmes, des visages… Je ferme un instant les yeux. Tout cela remonte d'un coup, puis disparaît dans un léger nuage de vapeur, me laissant une impression de vertige.

Je n'ai pas le courage de sortir, de fermer l'eau que je voudrais voir couler indéfiniment, pourtant je mets un pied dehors. Un frisson me parcourt, je m'enroule dans une serviette. Malgré le froid de janvier, j'ai laissé la fenêtre ouverte sur la lande qui s'étend jusqu'à la mer. C'est Bréhat, c'est mon île. Et pourtant, devant ce paysage qu'éclairent les rayons tristes de la pleine lune, j'ai du mal à retrouver la magie que j'ai toujours prêtée aux lieux. Peut-être parce que j'ai grandi. Peut-être parce que cela fait un an que je ne suis pas venue. J'ai le sentiment d'être étrangère ici, comme si je ne connaissais plus chaque rocher, chaque arbre. Je sens qu'il manque quelque chose, ou quelqu'un. J'aspire une grande bouffée d'air glacé et referme la fenêtre. Le bruit assourdissant du séchoir m'empêche de réfléchir, de me concentrer, comme si mon cerveau s'accordait au vrombissement de l'appareil. Une fois mes cheveux secs, je les relève en un chignon désordonné. Ce soir, cette nuit, je dois être rayonnante, mais sans apparat inutile. Je souligne mes yeux coca-cola d'un trait de crayon noir. C'est la première fois depuis longtemps que je me trouve belle. Je me rappelle, l'année dernière encore, mes grimaces et mon air désemparé devant le miroir. Aujourd'hui, tout a changé. Mes rondeurs d'enfant ont disparu et je trouve plus facile de s'aimer, ou du moins de s'accepter lorsqu'on est désirée. Je revois le sourire d'Arthur, les lèvres de Thomas se joignant aux miennes, les clins d'œil, l'odeur de Simon… Il y en a eu d'autres, mais je n'ai plus en tête, à cet instant, ni les noms ni les visages. Je sors de la salle de bains. Il me faut maintenant choisir une tenue. Vais-je mettre un pantalon ? Une robe, une jupe, ça se soulève trop facilement. Je reste plantée devant le tas de vêtements en désordre. Pas question que Pierre ait le sentiment que je suis folle de lui, me dis-je en enfilant mon jean de tous les jours. Il n'a fait que m'inviter à passer la soirée chez lui, cela ne signifie pas qu'il soit amoureux de moi. C'est simplement qu'il n'y a pas beaucoup de choix en hiver. Il fait froid, les maisons sont mal équipées, presque personne ne vient aux vacances de Noël. J'ai quand même aperçu Maxime et Antoine, nos amis d'enfance, mais après un an sans se voir, et après tout ce qui s'est passé, Pierre ne devait pas se sentir le cœur de reformer la bande. Si ses parents n'étaient pas conviés ce soir chez les miens pour se bourrer de foie gras et de homard, aurait-il pensé à moi ?

Je mets une chemise ample à carreaux sous un pull très large, comme lors de notre dernière rencontre, pour Martin. Pierre m'avait dit que ça le changeait de toutes ces pétasses qui débarquent, même au lycée, en robe de cocktail : j'étais naturelle au moins. Maintenant, un nouveau choix s'impose. Soit je reste dans la sobriété la plus totale avec mes vieilles Converse noires, soit je me glisse dans une paire de compensées turquoise. Après mûre réflexion, j'opte pour la deuxième option.

Je regarde ma montre, essayant de me perdre dans le mouvement des secondes. Je ne serais pas en avance. Cinq ou dix minutes de retard. Pierre s'impatientera et n'en sera que plus heureux de me voir. Je marche de long en large, m'affale sur mon lit, me relève et continue à faire les cent pas. Je retourne dans la salle de bains me mettre une goutte de parfum et du rouge à lèvres, que j'enlève aussitôt. Ça fait trop femme, je le remplace par du gloss.

Dans la salle de bains, mes parents se préparent à leur tour. J'aime entendre le bruit du rasoir électrique de mon père et le pschitt de l'eau de Cologne que maman vaporise dans son soutien-gorge, puis le son émis par ses lèvres lorsqu'elle égalise le rouge dont elle les a enduites. L'extrême attention que je prête depuis toujours à ces sons à peine perceptibles a fini par me doter d'une ouïe animale.

Nouveau coup d'œil à ma montre. C'est le moment. J'embrasse mes parents, leur souhaite par avance une bonne année, une bonne santé, toutes les conneries qu'on se dit le 1er janvier. Ils me recommandent de bien me couvrir. Je fais oui de la tête, tout en enfilant une petite veste en coton léger.

Dehors, une bourrasque de froid vient me fouetter le visage, propageant sur tout mon corps, en onde de choc, une nuée de frissons. J'enfourche mon vélo et pédale le plus vite possible.

*

Arrivée devant la porte de Pierre, j'ai un instant d'hésitation. Il est beaucoup trop tôt. Je suis stupide d'être partie alors que ses parents ne sont pas encore arrivés chez moi. Je franchis la grille en sens inverse, jette ma bicyclette dans un fourré et vais m'asseoir sur un rocher. J'ai tellement d'attentes concernant cette soirée, et pas la moindre certitude quant à leur réalisation. Je rêve de l'union langoureuse de nos lèvres, je vois Pierre me serrant fort dans ses bras, puis viennent les pensées libertines, et je songe à tout autre chose qu'à un simple baiser… Pourquoi ne pas défier les étoiles et toucher le ciel ? Je n'ai encore jamais eu de garçon dans mon lit. Mes désirs restent empreints d'une pureté virginale qui me fait obligatoirement concevoir l'acte d'amour comme sincère et beau. Quand j'y pense, je vois des draps blancs, de doux sourires, et encore du blanc, puisqu'on dit que le blanc est la couleur de la pureté. Je ne conçois pas, du haut de mes quatorze ans, que les choses puissent se faire autrement. Je suis encore sourde et aveugle. L'idée d'une passion mêlée de désir charnel, le besoin de se repaître de l'autre, tout cela m'est étranger, quoique je ne sache pas, ce soir, si je préfère les tons pastel ou les couleurs fauves. Si ça se trouve, les choses sont plus compliquées que je ne me les imagine.

Une petite pluie fine se met à tomber, et il me semble que ce sont mes illusions que je vois dégouliner sur mes compensées maculées de boue.

Il n'est toujours pas l'heure et je suis transie de froid, trempée. J'attends quand même, je ne suis pas du genre à renoncer. Ce que j'entreprends, même ambigu, même stupide, je le mène à bout, c'est comme ça que je me suis construite. Pour me réchauffer et éteindre ces pensées mélancoliques, j'allume mon iPod : les Stones me redonnent la patate. Je vois les parents de Pierre franchir la grille. Ils ne m'ont pas aperçue, et tant mieux, car même s'ils savent que je suis censée passer la soirée chez eux, je n'ai aucune envie de leur faire la conversation. Ça y est, ils ont disparu dans le tournant. Encore cinq minutes et j'y vais. La voix de Mick Jagger, le rythme entraînant, le besoin de me réchauffer, tout cela me fait me lever et me mettre à danser. Le spectacle muet d'une adolescente désarticulée gesticulant en rase campagne aurait amusé les passants, mais il n'y a personne pour assister à la scène, sinon une ou deux mouettes. La pluie a redoublé. L'air glacé qui pénètre mes poumons précipite ma respiration, un sang bouillant me monte à la tête. Ne pouvant fuir indéfiniment ce que j'espère et redoute à la fois, je m'interroge sur mes intentions réelles. Quand Pierre aura ouvert la porte, je ne pourrai plus me poser de questions…

20 h 38. Il est temps d'affronter cette soirée.

Mon vélo à la main, je franchis le grand portail en décomposition, inspire profondément et presse la sonnette. Que vais-je trouver sur la table en entrant ? Une bouteille de vodka ou des Smarties ? Trois secondes s'écoulent avant que Pierre ne vienne m'ouvrir, trois secondes qui suffisent à faire resurgir d'un coup tous mes désirs et toutes mes appréhensions.

*

Il se tient sur le seuil. Il a mis une cravate noire, une chemise blanche un peu froissée qui retombe sur un jean serré, et des boots noires : une mise élégante, sophistiquée, qui correspond à mes fantasmes aussi bien qu'à l'occasion. Ça fait presque un an qu'on ne s'est pas parlé. On s'est croisés pour Martin, mais aucun de nous deux n'était en état de bavarder. Pourtant, lors de nos dernières vacances à Bréhat, il y avait eu un truc en plus, qui avait fait l'alchimie entre nous. Pierre a dû se souvenir que c'est exactement ce qui m'attire : le genre petit rockeur débraillé.

Il ébouriffe ses cheveux, prend son air le plus nonchalant :

– En retard, ma petite Paloma, comme toujours.

Je sais parfaitement l'heure qu'il est, à la seconde près, mais fais mine de vérifier ma montre et lui lance, avec un sourire d'écolière prise en faute :

– Ah bon, tu es sûr ?

– J'ai regardé tristement le temps s'écouler sans toi…

– Ne joue pas les affligés. Si ça se trouve, tu avais oublié que je venais.

Pierre marmonne entre ses dents, et ce n'est qu'après m'avoir regardée vraiment qu'il réalise que je suis gelée et m'invite à entrer d'un grand mouvement de bras.

Il fait une chaleur étouffante dans la maison. Droite comme un piquet, je reste bêtement debout, à attendre je ne sais trop quoi. Je jette un œil autour de moi. Rien n'a changé. À droite, le salon qui fait aussi home cinéma et salle à manger. En face, le grand escalier de verre, bizarrerie qui a fait jacasser le tout Bréhat pendant des années. À gauche, la cuisine, avec ses meubles chinés dans les brocantes du continent, tel ce buffet de bois clair, sculpté de deux chiens aux yeux sans prunelles, coincé entre un vieux four dont le revêtement s'écaille et une pendule *remasterisée* en placard.

– Qu'est-ce qu'il y a ? Il faut que je t'enlève ta veste pour l'accrocher au portemanteau ?

Je réponds :

– Pourquoi pas ?

Il soupire et prend ma pauvre veste qui goutte sur le parquet. Je ne bouge toujours pas. Pierre m'invite à le suivre au salon. Il me pose poliment quelques questions : Est-ce que je vais bien ? Est-ce que mon lycée est sympa ? Je réponds brièvement, et aussitôt que j'ai fini, les lui renvoie : Est-ce qu'il va bien ? Est-ce que son lycée est sympa ? Ce bavardage dure dix minutes, avant que Pierre ne se retrouve à court d'idées. Un silence se fait, qu'il interrompt en allant à la cuisine. Je l'attends bien sagement sur le canapé. Comment va-t-on s'en tirer ? Je n'ai rien à dire, ou trop de choses. Je ne saurais par où commencer. Je me demande pourquoi j'ai accepté son invitation.

Pierre revient avec des gâteaux, des bonbons, et une bouteille de bière pour lui.

– Et toi, tu veux boire quoi ?

– Rien, merci, ça va.

Je remets une mèche derrière mon oreille.

– En fait, j'aimerais bien un Coca light, si tu en as.

Et, alors qu'il est déjà en train de se lever :

– Ne bouge pas, je sais où est la cuisine.

En quittant le salon, je le vois qui soupire, tête baissée. Je fais de même devant son frigo, seul objet moderne de la pièce, et avale une grande bouffée d'air en décapsulant la bouteille.

J'ai à peine eu le temps de me rasseoir que Pierre demande, d'un ton détaché :

– Tu es déjà tombée amoureuse de quelqu'un dont tu n'avais pas le moindre espoir d'être aimé en retour ?

Au timbre éraillé de sa voix, je comprends qu'il méditait cette question depuis longtemps, et qu'il vient seulement de se décider à la poser.

– Non, je ne crois pas.

Voilà un sujet de conversation qui aurait pu, qui aurait dû, me faire parler longtemps, très longtemps, et qui finalement ne m'a fait prononcer que cinq mots débiles. Pierre paraît si déçu que je fais mine de réfléchir :

– Enfin si, mais c'est long à raconter, et en

plus c'est un peu bizarre. Je ne voudrais pas que tu me prennes pour une tarée…

Il ne relève pas la tête et marmonne, d'une voix à peu près inaudible :

– Raconte, ça fera passer le temps.

À suivre...

Le Livre de Poche s'engage pour l'environnement en réduisant l'empreinte carbone de ses livres. Celle de cet exemplaire est de :
240 g éq. CO_2
Rendez-vous sur www.livredepoche-durable.fr

« Pour l'éditeur, le principe est d'utiliser des papiers composés de fibres naturelles, renouvelables, recyclables et fabriquées à partir de bois issus de forêts qui adoptent un système d'aménagement durable. En outre, l'éditeur attend de ses fournisseurs de papier qu'ils s'inscrivent dans une démarche de certification environnementale reconnue. »

Édité par la Librairie Générale Française - LPJ
(58 rue Jean Bleuzen, 92170 Vanves)

Composition Nord Compo
Achevé d'imprimer en Espagne par Liberdúplex
Dépôt légal 1re publication mai 2013
32.3652.8/13 - ISBN : 978-2-01-323652-2
Loi n° 49-956 du 16 juillet 1949 sur les publications destinées à la jeunesse
Dépôt légal : juillet 2022